PENSION VANILOS

AGATHA CHRISTIE

PENSION VANILOS

UNE ENQUÊTE D'HERCULE POIROT
(Hickory, Dickory, Dock)

TRADUIT DE L'ANGLAIS PAR
MICHEL LE HOUBIE

PARIS
LIBRAIRIE DES CHAMPS-ÉLYSÉES
17, RUE DE MARIGNAN, 17

NOTE DE L'ÉDITEUR

Les volumes de la collection sont imprimés en très grande série.

Un incident technique peut se produire en cours de fabrication et il est possible qu'un livre souffre d'une imperfection qui a pu échapper aux services de contrôle.

Dans ce cas, il ne faut pas hésiter à nous le renvoyer. Il sera immédiatement échangé.

Les frais de port seront remboursés.

CHAPITRE PREMIER

Hercule Poirot fronça le sourcil.

— Miss Lemon !

— Oui, monsieur Poirot ?

— Il y a trois fautes dans cette lettre.

Sa voix proclamait qu'il n'en croyait pas ses yeux. Car, des fautes, Miss Lemon n'en faisait jamais. Laide, mais connaissant admirablement son affaire, elle n'était jamais malade, jamais fatiguée, jamais énervée et jamais elle ne se trompait. Dans son travail, ce n'était pas une femme, mais une machine : la parfaite secrétaire. Elle savait tout, rien ne l'embarrassait jamais et Poirot lui abandonnait le soin d'organiser sa vie. Ordre et méthode, c'était depuis des années la devise du détective. Grâce à George, son parfait valet, et à Miss Lemon, sa parfaite secrétaire, l'ordre et la méthode gouvernaient son existence. Maintenant qu'on retrouvait des *crumpets* (1) bien carrés, il n'avait plus la moindre raison de se plaindre.

(1) Petits gâteaux servis avec le thé.

Et il avait fallu que, ce matin, Miss Lemon fît trois fautes en dactylographiant une lettre qui ne présentait aucune difficulté ! Ces trois fautes, elle ne les avait pas remarquées ! Et la terre continuait de tourner !

Hercule Poirot tendit le document à sa secrétaire. Il n'était pas fâché, il était stupéfait. Comme on peut l'être quand arrivent des choses qui *ne peuvent arriver*.

Miss Lemon prit la lettre, l'examina et Poirot, pour la première fois, la vit rougir : son visage ingrat s'empourpra, sans gagner en agrément.

— Mon Dieu ! s'écria-t-elle. Je ne comprends pas comment j'ai pu... Ou, plutôt si ! C'est à cause de ma sœur.

Autre coup ! Poirot n'avait jamais pensé que miss Lemon pût avoir une sœur. Pas plus, d'ailleurs, qu'un père, une mère ou des grands-parents. Pour lui, Miss Lemon s'identifiait si complètement à une machine, à un instrument de précision, qu'il lui eût paru extravagant de seulement supposer qu'elle pouvait avoir des affections, des chagrins ou des soucis. Ne savait-on pas qu'elle consacrait toutes ses heures de loisirs à un nouveau système de classement, qu'elle ferait breveter et qui porterait son nom ?

— Votre sœur ? dit Poirot, comme doutant cette fois, de ce qu'il venait d'entendre.

— Oui. Je ne crois pas vous avoir jamais parlé d'elle. Elle a presque toujours vécu à Singapour. Son mari était là-bas, dans une affaire de caoutchouc.

Hercule Poirot approuva d'un mouvement de tête. Il n'était nullement surpris que la sœur de Miss Lemon eût passé à Singapour la plus grande partie de son existence. Les villes comme Singapour n'avaient pas d'autre raison d'être : elles fournissaient des possibilités de mariage à des femmes comme la sœur de Miss Lemon et permettaient à ses pareilles de se vouer, corps et âme, aux affaires de leurs employeurs et, bien entendu, en leurs moments de détente, à l'invention de nouveaux systèmes de classement.

— Je vois, dit-il. Continuez !

Elle reprit :

— Ma sœur est restée veuve, il y a quatre ans. Sans enfants. Je me suis débrouillée pour lui procurer un gentil petit appartement, au loyer fort raisonnable.

Poirot ne cilla pas. Miss Lemon était femme à réussir un tel tour de force. Elle continuait :

— Elle est loin d'être sans ressources. Certes, l'argent ne vaut plus ce qu'il valait, mais elle a peu de besoins et, en faisant attention, elle a largement de quoi vivre. Seulement, bientôt, la solitude lui a pesé. N'ayant jamais vécu en Angleterre, elle n'avait pas d'amis, pas de relations, et elle ne savait que faire de son temps. Et, il y a de cela environ six mois, elle me dit qu'elle envisageait d'accepter cet emploi qu'on lui offrait...

— Quel emploi ?

— Quelque chose comme un poste de directrice dans un hôtel réservé aux étudiants. La propriétaire, une Mrs Vanilos, qui doit avoir un peu de sang grec dans les veines, cherchait quelqu'un pour la seconder et, en fait, pour gouverner la maison à sa place. C'est dans Hickory Road. Vous connaissez ?

Poirot ne connaissait pas.

— C'est un quartier qui a été assez chic autrefois. Les maisons sont un peu à l'ancienne mode, mais solidement construites. Ma sœur devait être très bien installée : une chambre à coucher, un petit salon et une cuisine formant cabinet de toilette.

Miss Lemon marqua un temps d'arrêt. D'un grognement, Poirot l'invita à poursuivre. Jusqu'à présent l'histoire ne semblait rien avoir de tragique.

— Je compris vite, reprit-elle, que ma sœur était décidée à accepter. Ses raisons n'étaient pas sans valeur. Elle n'a jamais été de ces femmes qui restent du matin au soir à ne rien faire, elle a du sens pratique et elle s'entend à conduire une maison. Et puis, on ne lui demandait pas de mettre de l'argent dans l'affaire. Il s'agissait d'un emploi rétribué. Le salaire était mince, mais elle n'avait pas besoin de gagner de l'argent. De plus, elle a toujours aimé la jeunesse et, ayant habité l'Orient, elle sait ce que peuvent être les susceptibilités raciales. Parce que, dans cet hôtel, monsieur Poirot, s'il y a surtout des Anglais, il y a des étudiants de toutes nationalités. Et, dans le nombre, il y a *des Noirs*...

— Naturellement. Aujourd'hui, il y en a partout...

— Bref, finalement, ma sœur accepta. Cette Mrs Vanilos ne lui était pas plus sympathique qu'à moi. C'est une femme qui peut se montrer charmante, mais, très lunatique ; il y a des moments où elle est impossible. Avec cela, pas très capable. Il est vrai que, s'il en avait été autrement, elle n'aurait pas eu besoin de quelqu'un pour la seconder. Notez que ces lubies et ces sautes d'humeur ne devaient pas gêner ma sœur ! Elle ne se laisse pas faire et on ne lui imposera jamais quelque chose d'absurde.

Poirot n'en doutait pas : la dame était la sœur de Miss Lemon. C'était une Miss Lemon, adoucie peut-être par le mariage et le climat de Singapour, mais, comme sa sœur, une femme largement pourvue de bon sens et de volonté.

— Donc, dit-il, elle prit l'emploi ?

— Oui. Elle s'installa au 26, Hickory Road, il y a environ six mois. Dans l'ensemble, elle trouva son travail intéressant et nullement désagréable.

Poirot écoutait, un peu déçu.

— Seulement, poursuivit Miss Lemon, depuis quelque temps, elle est très ennuyée...

— Pourquoi ?

— Il se passe dans cet hôtel, monsieur Poirot, des choses qui ne lui plaisent pas.

— Parce qu'on y rencontre des étudiants des deux sexes ?

— Oh ! non... Ce problème-là, on le connaît et il ne présente que des difficultés auxquelles on peut s'attendre... Non, il s'agit de choses qui ont disparu.

— Qui ont disparu ?

— Oui.

— Vous voulez dire « qui ont été volées » ?

— Exactement.

— La police a été prévenue ?

— Non, pas encore. Ma sœur espère qu'il ne sera pas nécessaire de faire appel à elle. Elle a de l'affection pour ces jeunes gens, pour certains d'entre eux du moins, et elle préférerait tirer l'affaire au clair toute seule, sans intervention de la police.

— Un désir bien légitime, dit Poirot, songeur. Mais ce qui m'échappe, c'est que la chose vous tracasse, probablement, je pense, parce qu'elle tracasse votre sœur.

— Ce qui m'ennuie, monsieur Poirot, c'est la situation même ! Il y a là quelque chose que je ne comprends pas. Je ne trouve aux faits aucune explication raisonnable... et je ne saurais même en inventer une qui ne le soit pas !

Poirot hocha la tête. Miss Lemon avait toujours

manqué d'imagination. C'était son grand défaut.
Imbattable quand la discussion portait sur des faits,
elle perdait pied dès qu'on en arrivait aux hypothèses.

— Il se peut, dit-il, qu'il s'agisse de petits larcins très ordinaires. Un kleptomane, peut-être ?

— Je ne crois pas, répondit Miss Lemon. J'ai
lu l'article « kleptomanie » dans l'*Encyclopedia Bri-
tannica* et j'ai également consulté un ouvrage de médecine. Pour moi, ce n'est pas ça...

Hercule Poirot garda le silence pendant une
bonne minute. S'occuper des difficultés que pouvait avoir la sœur de Miss Lemon dans cet hôtel
à clientèle cosmopolite, l'idée ne le séduisait pas.
Mais n'était-il pas fort agaçant que Miss Lemon
fît des fautes d'orthographe dans son courrier ? Poirot se dit que, s'il décidait de s'intéresser aux mal-
heurs de la dame, ce serait uniquement parce que
ces fautes n'étaient pas supportables. Il ne voulut pas
s'avouer que ce serait peut-être aussi parce que,
depuis quelque temps, il s'ennuyait et parce que la
banalité même de l'affaire avait quelque chose qui
piquait sa curiosité. A mi-voix, pour lui-même, il
dit :

— Le persil qui sombre dans le beurre, par une
journée de chaleur...

Miss Lemon le regarda, l'air étonné.

— Le persil ?

Il sourit.

— C'est une citation d'un de vos classiques. Vous
connaissez, je suppose, *Les Aventures de Sherlock
Holmes*, et peut-être aussi ses *Exploits* ?

— Ma foi, non ! Ce sont *les hommes* qui s'amu-
sent avec les chemins de fer électriques qu'ils achè-
tent pour leurs enfants. Il m'est arrivé, bien sûr,

d'avoir le temps de lire des sornettes. Mais, toutes les fois que je l'ai eu, j'ai préféré prendre un livre qui m'apprendrait quelque chose !

Poirot salua sa secrétaire d'une lente inclinaison du buste.

— Si je vous proposais, Miss Lemon, d'inviter votre sœur à prendre le thé ici ? dit-il ensuite. Peut-être pourrais-je lui donner une indication utile...

— C'est très gentil à vous, monsieur Poirot. Ma sœur est toujours libre l'après-midi.

— Alors, demain, si vous pouvez arranger ça !

— Bien, monsieur Poirot.

Peu après, le fidèle George recevait les instructions convenables. Il devait prévoir, pour le lendemain, une ample provision de *crumpets* carrés généreusement beurrés, des sandwiches bien symétriques et, d'une façon plus générale, toutes les nourritures indispensables à la parfaite ordonnance d'un substantiel thé anglais.

CHAPITRE II

Mrs Hubbard ressemblait résolument à sa sœur, Miss Lemon. Elle avait le teint beaucoup plus jaune que celle-ci, elle se coiffait de façon moins sévère, elle était plus lourde d'aspect et de manières moins vives, mais ses yeux alertes étaient ceux-là mêmes qui brillaient derrière les verres de Miss Lemon.

Elle déclara à Poirot que c'était très gentil à lui de l'avoir invitée.

— Très gentil, vraiment. Et votre thé est délicieux !... J'ai, d'ailleurs, mangé beaucoup plus que je n'aurais dû... Un sandwich encore, vous croyez ?... Alors, avec seulement une demi-tasse de thé...

— Restaurez-vous d'abord ! dit Poirot. Nous parlerons affaires ensuite.

Il la gratifiait d'un sourire, tout en tortillant sa moustache.

— Vous savez, reprit-elle, que vous êtes exactement tel que je vous imaginais d'après la description de Felicity ?

Poirot ignorait que ce fût là le charmant prénom

de l'austère Miss Lemon. Il lui fallut quelques secondes pour revenir de son étonnement. Après quoi, il répondit que l'exactitude du portrait ne le surprenait pas, étant donné les dons d'observation de Miss Lemon.

Tout en grignotant son nouveau sandwich, Mrs Hubbard suivait sa pensée.

— D'une façon générale, dit-elle, Felicity ne s'intéresse pas aux gens. Moi, si... et c'est bien pour cela que je suis si ennuyée !

— Et pouvez-vous, demanda Poirot, me dire ce qui vous ennuie, au juste ?

— Certainement. De petites sommes d'argent qui disparaîtraient, je trouverais ça assez normal. Un bijou, même, ça s'expliquerait. Ce ne serait pas bien, évidemment, mais nous savons tous qu'il y a des personnes malhonnêtes et des kleptomanes. Seulement, je vais vous lire la liste des choses qui ont disparu chez nous... Je l'ai là.

Elle ouvrit son sac à main et en tira un petit carnet de notes.

— Voici...

La nomenclature s'établissait comme suit :

Un soulier de bal (d'une paire neuve).
Un bracelet (de fantaisie).
Une bague en diamants (retrouvée dans le potage).
Un « compact » de poudre de riz.
Un bâton de rouge à lèvres.
Un stéthoscope.
Deux boucles d'oreilles.
Un briquet.
Un vieux pantalon de flanelle.
Des ampoules électriques.
Une boîte de crottes au chocolat.

Une écharpe de soie (retrouvée en morceaux).
Un sac à dos (même observation).
De l'acide borique (en cristaux).
Des sels de bain.
Un livre de cuisine.

Hercule Poirot prit une longue inspiration.

— Remarquable, déclara-t-il ensuite. Et vraiment captivant !

Il était ravi. Son regard alla du visage revêche de Miss Lemon à celui de Mrs Hubbard. Celle-ci souriait d'un air navré.

— Je vous félicite, lui dit-il, sincère.

— Moi ? Mais pourquoi ?

— Parce que vous avez là un problème magnifique, unique au monde !

— Cette liste vous dit peut-être quelque chose, monsieur Poirot, mais...

— Elle ne me dit rien du tout. Elle ne me fait penser qu'à un jeu de société, qui m'a été révélé par de jeunes amis à moi au cours des dernières vacances de Noël. On l'appelle, je crois, la Dame aux Trois Cornes. Le premier joueur dit : « Je suis allé à Paris et j'ai acheté tel ou tel article. » Cette phrase, le joueur suivant la répète et ajoute le nom de l'article qu'il a, lui aussi acheté à Paris. On continue ainsi, le jeu consistant à se rappeler dans l'ordre les articles ainsi mentionnés. Ceux-ci, bien entendu, sont aussi divers qu'imprévus. Nous avions, je me souviens, un bloc de savon, un éléphant en marbre, une table Louis XV et une blouse russe. Ces objets n'ayant aucun rapport entre eux, comme ceux de la liste que vous venez de me lire, il est très difficile de les énumérer dans l'ordre et, vers le douzième, cela devient à peu près impossible. Le joueur qui se trompe se voit remettre une corne en papier, qu'il garde à la main. Quand son tour revient de parler, il commence en disant : « Moi, Dame à une Corne, je suis allée à Paris... » Quand on détient trois cornes, on est éliminé. Le gagnant est celui qui reste le dernier.

— Je suis sûre que c'est vous qui avez gagné, monsieur Poirot ! s'écria Miss Lemon.

Poirot se tourna vers elle. Il était radieux.

— C'est exact ! dit-il. Avec un peu d'ingéniosité, il est toujours possible de mettre de l'ordre dans le chaos, d'établir entre les objets hétéroclites d'une liste un lien artificiel, qui permet de se souvenir de ce qu'ils sont. Dans l'exemple que j'ai choisi, on se dit : « Avec un morceau de savon, j'ai lavé l'éléphant de marbre blanc qui se trouvait sur la table Louis XV, etc.

— Peut-être pourriez-vous faire de même pour la liste que je vous ai lue ? dit Mrs Hubbard d'une voix timide.

— Sans doute ! Une dame, chaussée d'un seul soulier, glisse un bracelet à son poignet, met de la poudre, un peu de rouge à lèvres, passe à table et laisse tomber sa bague dans le potage... Il me serait facile de mémoriser la liste en question, mais ce serait parfaitement inutile. Ce que nous voudrions savoir, c'est pourquoi ont disparu des objets si dissemblables. Y a-t-il, dans cette diversité, une intention ? La première chose à faire, c'est d'étudier avec soin la liste elle-même.

Un long silence suivit. Poirot réfléchissait, les yeux fixés sur le petit carnet de Mrs Hubbard ouvert devant lui. Mrs Hubbard regardait le détective, comme un gamin dévore du regard l'illusionniste qui va faire surgir d'un chapeau un lapin blanc ou des flots de rubans multicolores. Miss Lemon, l'esprit ailleurs, songeait à certain point délicat de sa nouvelle méthode de classement.

Quand Poirot parla, Mrs Hubbard sursauta.

— Ce qui me frappe, dit-il, c'est que tous ces objets sont de peu de valeur, certains même n'en ayant aucune, et que deux seulement font exception : le stéthoscope et la bague en diamants. Laissons pour l'instant le stéthoscope de côté, pour ne nous occuper que de la bague. Elle valait cher ?

— Ma foi, monsieur Poirot, je serais bien incapable de vous le dire ! C'était un solitaire, avec, en haut et en bas, quelques petits diamants. La bague de fiançailles de la mère de Miss Lane, si j'ai bien compris. La petite était désolée de l'avoir perdue et c'est avec soulagement que nous l'avons vu reparaître, le soir même, dans l'assiette de potage de Miss Hobhouse. Nous nous sommes dit qu'il s'agissait d'une farce de mauvais goût.

— Ce qui est vraisemblable. Pourtant, cette bague volée et restituée, c'est peut-être lourd de signification ! La disparition d'un bâton de rouge ou d'un livre, c'est trop peu de chose pour qu'on fasse appel à la police. Une bague de prix, c'est tout différent ! Il est très probable que la police sera prévenue Alors on fait reparaître le bijou.

Miss Lemon fronça le front.

— Si c'est pour le rendre, pourquoi le voler ?

— Pourquoi, en effet ! dit Poirot. Seulement, pour le moment, nous ne nous posons pas la question ! J'essaie de classer les vols et c'est par la bague que je commence. Qui est cette Miss Lane à qui elle avait été volée ?

— Patricia Lane ? Une fille charmante. Elle prépare un diplôme d'histoire ou d'archéologie, ou quelque chose de ce genre.

— Riche ?

— Non. Elle a un peu d'argent, mais elle fait attention. La bague, comme je vous l'ai dit, appartient à sa mère. Elle possède quelques jolis bijoux, mais elle n'a pas beaucoup de vêtements neufs et elle a cessé de fumer depuis quelque temps.

— Vous pourriez me la décrire ?

— Qu'est-ce que je vous dirais ? C'est une fille qu'on ne remarque pas. Bien élevée, pas bruyante, même effacée. Ce qu'on peut appeler une fille sérieuse...

— Et c'est dans l'assiette de potage de Miss Hobhouse que la bague a reparu ? Qui est Miss Hobhouse ?

— Valerie Hobhouse ? C'est une brune, très intelligente et d'esprit assez caustique. Elle travaille dans un institut de beauté : Sabrina Fair... Vous devez en avoir entendu parler...

— Miss Lane et Miss Hobhouse sont amies ?

Mrs Hubbard réfléchit avant de répondre :

— Il me semble que oui. Elles ont rarement affaire l'une à l'autre. Patricia s'entend avec tout le monde, sans être particulièrement liée d'amitié avec qui que ce soit. Valerie Hobhouse, elle, a des ennemis... parce qu'elle a des mots qu'on ne lui pardonne pas toujours, mais elle a aussi des gens qui l'aiment bien. Vous voyez ce que je veux dire ?

— Je crois...

Poirot se rendait fort bien compte. Patricia Lane était gentille, mais sans éclat, alors que Valerie Hobhouse avait de la personnalité.

— Ce qu'il y a de curieux dans cette affaire, reprit-il, c'est que nous sommes en présence de vols de nature très différente. Il y a des menus larcins, comme en pourrait commettre une fille à la fois vaniteuse et sans le sou : le rouge à lèvres, le bracelet de fantaisie, le « compact » de poudre, les sels de bain, peut-être aussi les chocolats. Et puis, il y en a d'autres qui seraient plutôt ceux d'un homme sachant ou vendre ou engager le produit de son vol. Je pense au stéthoscope. A qui était-il ?

— A Mr Bateson. Un très gentil garçon...

— Un étudiant en médecine ?

— Oui.

— Ce vol, comment l'a-t-il pris ?

— Très mal, monsieur Poirot. Il était blême. Il a piqué une colère terrible, il a dit des choses effrayantes... et puis, il s'est calmé. Il n'est pas de ces gens qui se laissent voler sans rien dire...

— Vous en connaissez ?

— Ma foi, il y a Mr Gopal Ram, un de nos étudiants hindous. Il prend tout avec le sourire. Il a un geste de la main et il dit que les biens matériels sont sans importance...

— Lui a-t-on volé quelque chose ?

— Non.

— Ah !... A qui appartient le pantalon de flanelle ?

— C'était un vieux pantalon à Mr Mac Nabb. Un autre l'aurait réformé, mais il tient à ses vieux vêtements et ne jette jamais rien...

— Et, avec ce pantalon, nous en arrivons aux choses dont il semblerait qu'elles ne valent pas d'être volées : des lampes électriques, de l'acide borique, des sels de bain, un livre de cuisine. Elles ont peut-être leur importance... et il est probable qu'elles n'en ont aucune. Il se peut que l'acide borique ait été rangé par erreur quelque part où on ne songe pas à aller le chercher. Quelqu'un peut avoir retiré une ampoule « grillée », en se promettant de la remplacer et avoir oublié. Quelqu'un peut avoir emprunté le livre de cuisine, sans en parler à celui à qui il appartient, et avoir négligé de le rendre. Il se peut que le pantalon ait été emporté par une domestique...

— Nous n'avons que deux femmes de journée et on peut avoir confiance en elles. Elles n'auraient rien emporté sans demander d'abord la permission, j'en suis convaincue.

— Peut-être avez-vous raison. Il y a aussi le soulier de bal. A qui était-il ?

— A Sally Finch. C'est une jeune Américaine, titulaire d'une bourse Fulbrite.

— Vous êtes bien sûre que ce soulier, elle ne l'a pas tout simplement égaré ? Je n'arrive pas à imaginer comment un seul et unique soulier peut servir à qui que ce soit !

— Je puis vous garantir, monsieur Poirot, que ce soulier n'a pas été égaré. Nous l'avons cherché partout. Miss Finch devait aller en soirée et elle n'avait pas d'autres chaussures à mettre !

— Elle a dû être très embêtée. Il y a peut-être là une indication...

Après un instant de silence, il reprit :

— Et puis, il y a encore ce sac à dos qu'on a lacéré et cette écharpe de soie qui a été retrouvée en charpie. Ici, il ne peut s'agir que de vengeance. Ce sac à dos, à qui appartenait-il ?

— Nos étudiants en ont presque tous, la plupart d'entre eux pratiquant l'auto-stop. Et, comme leurs sacs à dos proviennent généralement du même magasin, il est bien difficile de les identifier. Il semble cependant que celui dont il s'agit était à Léonard Bateson ou à Colin MacNabb.

— L'écharpe était à qui ?

— A Valerie Hobhouse. On la lui avait donnée à

Noël. Elle était vert émeraude et c'était un article ae bonne qualité.

— A Miss Hobhouse...

Poirot ferma les yeux. Ce qu'il voyait, derrière ses paupières closes, c'était, comme dans un kaléidoscope, des éléments divers et insolites : des bouts d'écharpe, des sacs à dos en morceaux, des sels de bain, des livres de cuisine, des bâtons de rouge à lèvres, des choses qui appartenaient à des gens de qui il connaissait à peine les noms et qui demeuraient pour lui sans visage encore. Tout cela paraissait sans queue ni tête, et pourtant tout cela était cohérent, tout cela avait un sens. Ce sens, on pouvait le trouver. Il fallait chercher. Mais par où commencer ?

Il rouvrit les yeux.

— Cette affaire-là, dit-il, demande de la réflexion. Et beaucoup !

— Ah ! c'est bien vrai ! s'écria Mrs Hubbard. Je suis désolée de vous ennuyer, monsieur Poirot, mais...

Poirot protesta :

— Vous ne m'ennuyez nullement, chère madame ! Le problème m'intéresse. Cependant, tandis que je réfléchirai à ses données, peut-être pourrions-nous, sur le plan pratique, faire quelques recherches préliminaires. Nous pourrions, je crois, partir du soulier... Miss Lemon ?

— Monsieur Poirot ?

Instinctivement, Miss Lemon s'arrachant à sa méditation, avait tendu la main vers son crayon et son bloc.

— Mrs Hubbard vous procurera le soulier resté en la possession de Miss Hobhouse. Quand vous l'aurez, vous passerez à Baker Street, aux objets trouvés. Ce soulier, quand a-t-il disparu ?

Mrs Hubbard réfléchit.

— Exactement, monsieur Poirot, je ne saurais vous le dire tout de suite. C'était il y a deux mois environ, je n'en sais pas plus. Mais Sully Finch se rappellera la date de sa soirée et je vous communiquerai le renseignement.

— Parfait.

S'adressant à Miss Lemon, le détective poursuivit :

— Vous resterez dans le vague. Vous raconterez que vous avez perdu ce soulier dans le *Tube* (1), dans un train de l'Inner Circle — c'est très vraisemblable — ou, si vous préférez, dans un autobus. Il y en a beaucoup dans le voisinage de Hickory Road ?

— Deux seulement, monsieur Poirot.

— Bien. Si Baker Street ne donne rien, vous verrez Scotland Yard. Là, vous direz que vous avez oublié ce soulier dans un taxi...

— C'est Lambeth qu'il faut voir...

Poirot eut un geste de la main.

— Je m'en rapporte à vous.

— Mais, dit Mrs Hubbard, pourquoi pensez-vous...?

Poirot lui coupa la parole :

— Nous parlerons de ça plus tard. Voyons d'abord ce que donnera cette petite enquête. Quand nous le saurons, que les résultats soient positifs ou négatifs, nous nous reverrons, vous et moi, et vous me direz alors différentes choses qu'il est indispensable que je sache.

— Mais je vous ai dit tout ce que je sais !

— Vous le croyez, mais je ne suis pas d'accord là-dessus ! Pas du tout ! N'oubliez pas, Mrs Hubbard, qu'il s'agit de jeunes gens, et des deux sexes. A aime

(1) Le métro londonien.

B, mais B aime C, et D et E sont à couteau tiré peut-être à cause d'A. De tout cela, vous ne m'avez rien dit, et c'est cela qu'il faut savoir. Rivalités, querelles, jalousies, amitiés...

Mrs Hubbard se sentait mal à l'aise.

— Mais, monsieur Poirot, je ne sais rien de tout cela ! Je ne m'occupe pas de ces choses-là. Je dirige la maison, je fais le marché, je...

— Vous m'avez dit vous-même que les gens vous intéressent, que vous aimez la jeunesse et que cette situation, vous l'avez prise moins pour ce qu'elle représente pour vous financièrement que pour être en contact avec des êtres *vivants*. Parmi vos étudiants, il y en a pour lesquels vous avez de l'amitié, d'autres que vous aimez moins... ou même que vous n'aimez pas du tout. Vous me direz ça... Mais oui, vous me le direz ! Parce que vous êtes très ennuyée. Non, pas de ce qu'il s'est passé... Pour ça, vous auriez pu alerter la police...

— Je vous assure, monsieur Poirot, que Mrs Vanilos aurait été contrariée.

Négligeant l'interruption, Poirot poursuivit :

— Non ; si vous êtes ennuyée, c'est à cause de *quelqu'un*... De quelqu'un de qui vous pensez qu'il pourrait bien être responsable de ces disparitions... De quelqu'un, évidemment, pour qui vous avez de la sympathie...

— Vraiment, monsieur Poirot, vous...

— Je sais ce que je dis et j'ajoute que vous avez parfaitement raison de vous faire du souci. Parce que mettre une écharpe de soie en pièces, ce n'est pas gentil ! Et lacérer un sac à dos, ce n'est pas gentil non plus. Le reste, c'est sans doute de l'enfantillage. Pourtant, je n'en suis pas sûr... Non, pas sûr du tout !

CHAPITRE III

Mrs Hubbard gravit en se hâtant le perron du 26, Hickory Road, et introduisit sa clé dans la serrure. Comme elle ouvrait la porte, un grand jeune homme à la rousse chevelure escalada les marches derrière elle.

— Salut, Ma !

Len Bateson n'appelait jamais Mrs Hubbard autrement. C'était un garçon cordial, qui parlait avec l'accent cockney et que ne tourmentait aucun complexe d'infériorité. Il ajouta :

— On a été baguenauder ?

— Je suis allée prendre le thé chez des amis, monsieur Bateson. Ne me retenez pas, je suis déjà en retard !

— Moi, j'ai dépecé un magnifique macchabée. Formidable !

— Ne dites donc pas d'horreurs ! Un magnifique macchabée ! A-t-on idée de parler comme ça ! Vous me faites courir des frissons dans le dos.

Len Bateson éclata de rire.

— A côté de Celia, ce n'est rien ! Je suis passé au dispensaire. Quand je lui ai dit que je venais la voir au sujet d'un macchab', elle est devenue pâle comme un linge et j'ai cru qu'elle allait tomber dans les pommes. Qu'est-ce que vous dites de ça, Ma ?

— Ça ne m'étonne pas ! Elle aura sans doute pensé que vous parliez d'un *vrai* cadavre...

— Et qu'est-ce que vous croyez donc, Ma ? Vous vous figurez que nous travaillons sur du macchabée synthétique ?

Un long jeune homme à la chevelure en broussaille sortit d'une pièce ouvrant sur la droite du vestibule.

— Ah ! ce n'est que vous ! s'écria-t-il d'un ton de mordante ironie. Je m'attendais à trouver, pour le moins, un commando de malabares. Vous n'avez qu'une seule et unique voix, mais pour le volume elle en vaut dix !

— J'espère qu'elle ne vous porte pas trop sur les nerfs ?

— Pas plus que d'habitude !

Ayant dit, Nigel Chapman rentra dans la pièce et ferma la porte.

— Pauvre chéri ! dit Len.

— Je vous voudrais moins acerbes, tous les deux, fit remarquer Mrs Hubbard. J'aime qu'on soit de bonne humeur et qu'on se rende service.

Len Bateson dédia à la brave dame un gentil sourire.

— On ne lui veut pas de mal, à votre Nigel, Ma !

Descendant l'escalier, une jeune fille annonçait à Mrs Hubbard que Mrs Vanilos était dans sa chambre et qu'elle désirait la voir. Avec un soupir,

Mrs Hubbard se dirigea vers les marches. La jeune fille s'effaça pour la laisser passer. Len Bateson, cependant, se débarrassait de son imperméable.

— Que se passe-t-il, Valerie ? demanda-t-il. On se plaint de notre conduite et Mrs Hubbard va être chargée de nous le faire savoir ?

Valerie Hobhouse haussa les épaules.

— Plus ça va, dit-elle, et plus on se croirait dans une maison de fous !

Elle finit de descendre l'escalier et entra dans la pièce où avait disparu Nigel Chapman. Elle se déplaçait avec l'aisance et la grâce un peu insolente des mannequins professionnels.

La maison se composait, en réalité, de deux corps de bâtiment distincts, qui avaient été le 24 et le 26, réunis par un rez-de-chaussée commun, où l'on trouvait une grande pièce servant de living-room, une vaste salle à manger, deux vestiaires et un petit bureau. Il y avait deux escaliers. Les filles occupaient les chambres à coucher situées sur la droite, les garçons celles qui étaient à gauche, dans l'ancien 24.

Mrs Hubbard ouvrit le col de son manteau, frappa à la porte de Mrs Vanilos et entra. Dans la pièce aux fenêtres bien closes, un radiateur électrique entretenait une chaleur de four. Assise sur un canapé sur lequel s'amoncelaient des coussins de soie d'une propreté douteuse, Mrs Vanilos fumait une cigarette. C'était une femme de forte corpulence, encore assez jolie, malgré le pli hargneux de sa bouche.

— Enfin, vous voici !

Le ton était lourd de reproches, mais Mrs Hubbard était née Lemon et elle ne se troubla point pour autant.

— Oui, dit-elle sèchement. Il paraît que vous voulez me voir ?

— Plutôt ! C'est monstrueux ! Positivement monstrueux !

— Qu'est-ce qui est monstrueux ?

— Tout ! Ces factures ! Vos comptes !

Mrs Vanilos brandissait à bout de bras une liasse de papiers qu'elle avait été pêcher sous un coussin. Elle poursuivit :

— Ces misérables étudiants, qu'est-ce que nous leur donnons à manger ? Du foie gras et des cailles, ma parole ! Est-ce que nous serions le Ritz ? Nos pensionnaires, que croyez-vous donc qu'ils sont ?

— Des jeunes gens qui ont un solide appétit ! répondit Mrs Hubbard. Ils ont un breakfast copieux et, le soir, un honnête repas, des choses simples, mais nourrissantes. Ici, on ne jette pas l'argent par les fenêtres.

— C'est à moi que vous osez dire ça ? Alors que je cours à la ruine ?

— Madame Vanilos, vous réalisez ici de très substantiels bénéfices. Pour des étudiants, les prix seraient plutôt élevés...

— Est-ce que la maison n'est pas toujours pleine ? Est-ce que tout le monde ne m'envoie pas des pensionnaires ? Le British Council, le Service du logement de la London University, les ambassades, le Lycée français ? Est-ce que, dès que j'ai une chambre libre, je n'ai pas trois personnes au moins pour me la demander ?

— Rien n'est plus exact. Seulement, c'est surtout parce qu'on sait que chez vous on mange bien. Les jeunes gens, il faut les nourrir !

— Quoi qu'il en soit, ces chiffres sont scandaleux ! C'est cette cuisinière italienne et son mari. Ils truquent les comptes qu'ils vous remettent.

— Certainement pas, madame Vanilos ! Je vous certifie bien que je ne me laisserais pas posséder par un étranger !

— Alors, *c'est vous qui me volez* !

Mrs Hubbard ne s'indigna pas.

— Je ne puis pas vous permettre de porter contre moi de telles accusations, déclara-t-elle d'une voix très calme. Ce ne sont pas des choses à dire et, un beau jour, ces façons-là vous vaudront des ennuis.

Furieuse, Mrs Vanilos lança ses papiers à travers la pièce. Mrs Hubbard les ramassa sans se presser.

— Vous m'exaspérez ! lança Mrs Vanilos.

— Vous avez tort de vous mettre en colère, répliqua doucement Mrs Hubbard. C'est très mauvais quand on fait de la tension !

— Vous reconnaissez que ces chiffres sont supérieurs à ceux de la semaine dernière ?

— Naturellement, je l'admets ! Il y a eu quelques ventes réclames aux Lampson's Stores et j'en ai profité. La semaine prochaine, les dépenses seront très inférieures à la moyenne.

— Vous avez réponse à tout !

L'air maussade, Mrs Vanilos renonçait à lutter. Mrs Hubbard posa les factures sur la table.

— Il n'y a rien d'autre ? demanda-t-elle.

— Si. Sally Finch, l'Américaine, parle de s'en aller. Je voudrais la garder. Elle a une bourse Fulbrite, elle peut m'amener d'autres titulaires de bourse. Il ne faut pas qu'elle parte.

— Elle donne une raison pour s'en aller ?

Mrs Vanilos haussa ses grasses épaules.

— Je l'ai oubliée. D'ailleurs, elle ne vaut rien.

— A moi, elle ne m'a rien dit.

— Vous lui parlerez ?

— Bien entendu.

— Et si ce qui la gêne c'est la présence des étudiants de couleur, pas d'hésitation ! Je tiens à la clientèle américaine. Pour moi, c'est elle qui compte. Alors, les Hindous, les nègres... dehors !

Un geste énergique du bras souligna le propos.

— Pas tant que je serai là, dit Mrs Hubbard d'un ton paisible. D'ailleurs, vous vous trompez. Personne, ici, ne se soucie de la « ligne de couleur », et certainement pas Sally. Elle a souvent déjeuné avec Mr Akibombo et on ne peut guère être plus noir que lui !

— Alors, ce sont peut-être les communistes qui l'ennuient. Les communistes, vous savez ce que les Américains pensent d'eux... Nigel Chapman est communiste.

— J'en doute.

— Pas moi ! Si vous l'aviez entendu, l'autre soir...

— Pour faire enrager les gens, il dirait n'importe quoi ! Il en est même agaçant...

— Vous les connaissez vraiment bien, tous ! Chère Mrs Hubbard, vous êtes merveilleuse ! Je me demande souvent ce que je deviendrais sans vous. Vous êtes merveilleuse et je m'en remets entièrement à vous, pour tout !

— Des fleurs, maintenant !

— Vous dites ?

— Rien. Je ferai ce que je pourrai.

Mrs Hubbard sortit, sans vouloir entendre les remerciements de Mrs Vanilos, laquelle, une fois encore, lui avait fait perdre son temps. Elle gagna son petit appartement. A son entrée, une grande jeune fille se leva.

— Mrs Hubbard, pourrais-je vous parler un instant ?

— Mais certainement, Elizabeth !

Originaire des Antilles, Elizabeth Johnston était venue à Londres pour y faire son droit. Elle voulait arriver, travaillait dur et se liait peu. Elle était très équilibrée et Mrs Hubbard avait pour elle beaucoup d'estime.

— Il y a quelque chose qui ne va pas ? demanda Mrs Hubbard, qui avait cru remarquer un certain tremblement dans la voix de la jeune fille.

— Oui. Voudriez-vous venir jusqu'à ma chambre ?

— Une minute et je vous suis !

Mrs Hubbard ôta son manteau et ses gants, puis les deux femmes se rendirent au second étage, où se trouvait la chambre d'Elizabeth.

— Regardez !

Elizabeth montrait à Mrs Hubbard sa table, près de la fenêtre.

— Ce sont mes notes ! Des mois et des mois de travail !

Mrs Hubbard regardait, stupéfaite. Sur les feuillets, de l'encre avait été répandue à profusion. Elle en toucha un du bout du doigt : l'encre n'était pas encore sèche.

Une question lui vint à l'esprit, qu'elle posa, bien qu'elle la sût stupide.

— Cette encre, ce n'est pas vous qui l'avez versée sur vos notes ?

— Non. On a fait ça pendant que j'étais sortie.

— Pensez-vous que Mrs Biggs... ?

Mrs Biggs était la femme de ménage chargée des chambres du deuxième étage.

— Ce n'est sûrement pas Mrs Biggs. D'ailleurs, ce

n'est pas mon encre à moi ! La mienne, elle est là, sur le rayon, près de mon lit. On n'y a pas touché. On a fait ça avec de l'encre qu'on a apportée exprès, et il ne s'agit pas d'un accident !

Mrs Hubbard ne cachait pas son indignation.

— C'est odieux !

— Oui. Ce n'est vraiment pas bien !

Elizabeth Johnston n'employait pas de grands mots, mais Mrs Hubbard comprenait ce que pouvaient être ses sentiments du moment.

— Ma chère Elizabeth, déclara-t-elle, je ne sais que vous dire !... Je suis atterrée et je ferai tout ce que je pourrai pour découvrir le coupable. Avez-vous des soupçons ?

La réponse vint tout de suite.

— Vous avez remarqué que c'est de l'encre verte ?

— Et alors ?

— L'encre verte, on s'en sert peu. Ici, je ne vois qu'une personne pour en user : Nigel Chapman.

— Nigel ? Vous croyez qu'il aurait fait une chose pareille ?

— Je n'aurais jamais cru ça de lui ! Mais il n'utilise que de l'encre verte...

— Je l'interrogerai. Je suis navrée, Elizabeth, mais je ne négligerai rien, je vous le certifie, pour tirer cette affaire-là au clair !

— Je vous remercie, Mrs Hubbard. Il y a eu, ces temps-ci, d'autres... histoires, dans cette maison, n'est-ce pas ?

— Euh !... Oui...

Mrs Hubbard sortit là-dessus, se dirigea vers l'escalier, puis, se ravisant, revint sur ses pas pour aller, au bout du couloir, frapper à la porte de Miss Sally Finch.

— Entrez !

La chambre était coquette, à l'image de Sally Finch, une jolie rousse au visage avenant. Sally était en train d'écrire sur un petit calepin. Elle tendit à Mrs Hubbard une boîte de bonbons ouverte.

— Prenez-en un ! dit-elle. J'ai reçu ça des Etats-Unis.

— Merci, Sally. Pas maintenant ! Je suis très ennuyée...

Après un court silence, elle ajouta :

— Vous savez ce que l'on a fait à Elizabeth Johnston ?

Sally chassa dans sa joue gauche le bonbon qu'elle suçait et, l'élocution peu distincte, répondit :

— Non. Que lui est-il arrivé, à notre chère Black Bess ?

Black Bess était un surnom affectueux et Elizabeth l'avait accepté en souriant. Mrs Hubbard mit Sally au courant.

— C'est révoltant ! s'écria la jeune fille, quand elle eut terminé. Jamais je n'aurais cru qu'on aurait fait ça à Bess ! Tout le monde l'aime, ici ! Elle ne fait pas de bruit, elle se manifeste peu et il ne faut pas trop compter sur elle quand on s'amuse, mais vous pouvez toujours chercher quelqu'un à qui elle n'est pas sympathique !

— C'est ce que je pensais !

— Pour moi, cette histoire-là, elle va avec les autres. Et c'est bien pourquoi...

Sally ayant brusquement interrompu sa phrase, Mrs Hubbard la pressa d'achever.

— C'est bien pourquoi je m'en vais. Mrs Vanilos ne vous a rien dit ?

— Si. Elle m'a paru très contrariée. Elle a l'air de

croire que vous ne lui avez pas donné la vraie raison de votre départ.

— Elle ne se trompe pas. A quoi bon la mettre hors d'elle ? Vous la connaissez... Quoi qu'il en soit, c'est bien pour ça que je m'en vais. Il se passe ici des choses qui ne me plaisent pas. Je pense à mon soulier disparu, à l'écharpe de Valerie mise en morceaux, au sac à dos de Len... Qu'on vous chipe quelque chose, ça arrive ! Ce n'est pas bien, mais c'est presque normal. Tandis que ça, *ça ne l'est pas !*

Avec un sourire, elle ajouta :

— C'est aussi l'opinion d'Akibombo. Lui, il a peur ! Si civilisé qu'il soit, il reste de son pays et, en Afrique, on croit aux sorciers...

Mrs Hubbard haussa les épaules.

— J'ai toujours trouvé la superstition ridicule. Nous avons affaire à un humain très ordinaire qui cherche à empoisonner le monde. Un point, c'est tout !

Sally fit la moue.

— Un humain *très ordinaire* ? J'ai comme une idée, moi, qu'il y a dans cette maison quelqu'un qui n'est pas ordinaire du tout. Et c'est bien ce qui m'inquiète !

Descendue au rez-de-chaussée, Mrs Hubbard gagna le living-room. Valerie Hobhouse était allongée sur le divan. Nigel Chapman travaillait, un gros livre ouvert devant lui, sur la table à laquelle il était accoudé. Patricia Lane était près de la cheminée. A côté d'elle, une jeune fille, aux gros sourcils bruns et à la bouche perpétuellement entrouverte, retirait un lourd manteau de laine.

Sans lâcher sa cigarette, Valerie, d'une voix traînante, interpella Mrs Hubbard.

— Allô ! Ma ! Avez-vous administré sa potion

calmante à notre vénérée propriétaire, cette vieille diablesse de malheur ?

Patricia Lane se tourna vers Valerie.

— Elle est de nouveau sur le sentier de la guerre ?

— Et comment ! lança Valerie.

Mrs Hubbard était entrée dans la pièce.

— Il s'est passé ici, dit-elle, quelque chose de très désagréable. Nigel, j'ai deux mots à vous dire.

— A moi ?

Il ferma son livre et regarda Mrs Hubbard. Son sourire était à la fois plein de malice et de douceur.

— Qu'est-ce que j'ai fait ? demanda-t-il.

— Rien, j'espère. Mais il se trouve qu'on a délibérément et méchamment répandu de l'encre sur les notes de travail d'Elizabeth Johnston. Or, c'est de l'encre verte. Et, Nigel, vous écrivez avec de l'encre verte.

Le visage du jeune homme devint grave.

— C'est exact.

— Et d'ailleurs, stupide ! ajouta Patricia. Je vous l'ai dit cent fois, Nigel ! Cette encre verte, ça fait horriblement prétentieux !

— Je ne déteste pas ça, répliqua Nigel. Un de ces jours, j'essaierai de l'encre lilas, si j'en trouve. Mais revenons à ce que vous dites, Ma ! C'est sérieux, cette histoire ?

— *Absolument.* Ce vilain tour, il est de vous ?

— Bien sûr que non ! J'aime taquiner les gens, comme vous le savez, mais je ne ferais une saleté pareille à personne, et surtout pas à Black Bess, qui fiche la paix au monde, un exemple dont d'autres que je ne nommerai pas feraient bien de s'inspirer.

Mon encre, elle est ici sur le rayon et le flacon est à peu près plein. J'ai rempli mon stylo hier soir...

Il alla prendre le flacon d'encre. Il le regarda d'un air surpris, puis émit un petit sifflement.

— Curieux ! dit-il. Il est presque vide !

La jeune fille au manteau fit la grimace.

— Que tout cela peut être ennuyeux !

Nigel marcha vivement vers elle.

— Vous avez un alibi, Celia ?

Elle eut un haut-le-corps.

— Ce n'est pas moi ! Comment aurais-je pu ? J'ai été à l'hôpital toute la journée.

Mrs Hubbard intervint.

— Voyons, Nigel ! Laissez Celia tranquille !

— Je ne vois d'ailleurs pas pourquoi vous accusez Nigel, déclara Patricia Lane. Qu'on ait pris son encre...

Valerie ricana.

— Bravo chérie ! Défendez votre petit...

— C'est tellement injuste !

— En tout cas, reprit Celia, *moi*, je ne suis pour rien dans cette histoire !

— Mais, répliqua Valerie d'une voix impatiente, personne n'a jamais cru que c'était vous !

Son regard rencontrant celui de Mrs Hubbard, elle poursuivit :

— Pourtant, il serait temps d'en finir avec ces plaisanteries dont on ne peut pas rire. Il faudrait faire quelque chose.

— On fera quelque chose, dit Mrs Hubbard d'un ton résolu.

CHAPITRE IV

— Voici l'objet, monsieur Poirot.

Miss Lemon posait devant le détective un petit paquet enveloppé de papier brun. Il l'ouvrit : c'était un soulier de bal en tissu argenté.

— Il était à Baker Street, comme vous l'aviez prévu, précisa Miss Lemon.

— Ça vous a simplifié le travail, dit Poirot, et ça confirme ce que je pensais.

— Absolument, déclara Miss Lemon.

Elle ne posa pas de question, étant d'un naturel peu curieux, mais comme elle avait le sentiment de la famille, elle ajouta :

— J'ai reçu une lettre de ma sœur, monsieur Poirot. Il y a du nouveau.

— Je pourrais la lire ?

Miss Lemon lui remit la lettre. Après en avoir pris connaissance, Poirot pria Miss Lemon d'appeler Mrs Hubbard au téléphone. Bientôt, elle lui passait la communication.

— Mrs Hubbard ?

— Bonjour, monsieur Poirot. C'est gentil à vous de ne pas m'avoir oubliée. J'ai été très...

Il l'interrompit.

— D'où me parlez-vous ?

— Mais... du 26, Hickory Road, bien sûr !... Ah ! pardon... Je n'avais pas saisi le sens de votre question ! Je suis dans ma chambre...

— C'est un poste secondaire ?

— Oui. Le poste principal est en bas, dans le vestibule.

— Y a-t-il dans la maison quelqu'un qui pourrait surprendre notre conversation ?

— A cette heure-ci, tous nos pensionnaires sont dehors. La cuisinière fait le marché. Geronimo, son mari, comprend à peine l'anglais. Il y a bien une femme de ménage, mais elle est sourde et je suis bien sûre qu'elle n'ira pas à l'appareil.

— Alors, je puis parler clairement. Vous arrive-t-il quelquefois de donner des conférences, des films, des soirées récréatives ?

— Des conférences, de temps en temps. Miss Beltrout, l'exploratrice, est venue, il n'y a pas très longtemps, nous parler de ses voyages. Il y avait des projections en couleur. Malgré cela, nos étudiants ont un peu boudé...

— Ah ?... Eh bien ! faites-leur savoir que, parce que vous avez beaucoup insisté, M. Hercule Poirot, qui se trouve être le patron de votre sœur, a consenti à les entretenir ce soir de quelques-unes de ses plus passionnantes enquêtes.

— C'est merveilleux ! Mais croyez-vous...

— Je ne crois pas, Mrs Hubbard. *Je suis sûr !*

Ce soir-là, les étudiants trouvèrent dans le living-room, épinglée sur la porte, une communication de Mrs Hubbard :

*M. Hercule Poirot, le célèbre détective privé, a
aimablement accepté de faire, ce soir, sur le crime
et les criminels, une causerie au cours de laquelle il
évoquera le souvenir de quelques affaires restées fa-
meuses.*

La note suscita des commentaires divers.

— Qui est-ce, ce privé ?

— Jamais entendu parler de lui !

— Moi, si ! Il y a un type qui avait été con-
damné pour avoir zigouillé une femme de ménage
et c'est ce Poirot qui a réussi à prouver qu'il était
innocent et qui a découvert le véritable assassin...

— J'ai idée qu'on se rasera !

— Pas sûr ! Ça sera peut-être drôle...

— En tout cas, ça plaira à Colin ! Lui qui est
fou de psychologie criminelle !

— Il ne faut pas exagérer. Toutefois, je reconnais
qu'un bonhomme qui est entré en contact avec des
tas de malfaiteurs peut être intéressant à interroger...

Le dîner était à sept heures et demie et la plupart des pensionnaires étaient déjà à table quand
Mrs Hubbard, descendant de sa chambre (où elle
avait offert un verre de Xérès à son distingué visi-
teur), entra dans la salle à manger, escortée d'un
petit monsieur déjà âgé, de qui les cheveux étaient
d'un noir suspect. Il tortillait d'un air satisfait une
moustache de proportions impressionnantes.

Les présentations faites, Hercule Poirot s'assit à
la droite de Mrs Hubbard. Sa moustache lui causa
du souci, tandis qu'il savourait l'excellent minestrone qui ouvrait le repas. Il se sentit plus à l'aise
avec les spaghetti et les boulettes de viande qui sui-
virent.

— C'est vrai que la sœur de Mrs Hubbard travaille avec vous ?

La question était posée à Poirot, d'une voix timide, par la jeune fille qui était à sa droite. Il tourna
la tête vers elle.

— Rigoureusement vrai. Miss Lemon est ma secrétaire depuis des années. C'est une femme si remarquable que, parfois, elle m'effraie !

— Ah ?... Je me demandais...

Elle laissa la phrase en suspens.

— Vous vous demandiez... ?

Poirot souriait à la jeune fille, très paternel. Cependant, il l'observait, notant dans un coin de sa
mémoire qu'elle était jolie, préoccupée, d'esprit pas
très vif, et qu'elle paraissait redouter « quelque
chose ». Il reprit :

— Puis-je vous demander votre nom et quel cours
vous suivez ?

— Je m'appelle Celia Austin. Je ne suis pas étudiante, mais infirmière au St. Catherine's Hospital.

— Un travail intéressant ?

— Je n'en sais trop rien... Peut-être !

Elle n'avait pas l'air très fixé.

— Et les autres, qui sont-ils ? Pouvez-vous me
dire un mot sur chacun d'eux ? Je croyais que la
maison hébergeait surtout des étudiants étrangers et
j'ai l'impression qu'il n'y a guère ici que des Anglais.

— Il manque quelques étrangers : Mr Chandra
Lal et Mr Gopal Ram, qui sont hindous, Miss Rein-
jeer, qui est hollandaise, et Mr Achmed Ali, qui est
égyptien... et que la politique passionne terriblement.

— Parlez-moi des présents !

— Soit. A gauche de Mrs Hubbard, vous avez
Mr Nigel Chapman, qui étudie l'histoire médiévale

et la littérature italienne à la London University.
A côté de lui, la fille aux lunettes, c'est Patricia Lane,
étudiante en archéologie. Le rouquin, c'est Len Bateson, qui fait sa médecine, et la brune, là-bas, Valerie Hobhouse, qui travaille dans un institut de
beauté. A côté d'elle, c'est Colin Mac Nabb, qui termine ses études de psychiatre...

Il y avait, dans la voix de la jeune fille, un léger
changement. Il n'échappa pas à Poirot, qui remarqua, en outre, que Celia avait rougi légèrement en
parlant de Colin. Il en conclut qu'elle était amoureuse et qu'elle dissimulait mal. Il nota aussi que le
jeune Mac Nabb semblait ne jamais avoir un regard
pour Celia, sans doute parce qu'il était en grande
conversation avec sa voisine, une jolie rousse au
rire sympathique.

— C'est Sally Finch, poursuivit Celia. Une Américaine, titulaire d'une bourse Fulbrite. Plus loin,
c'est Geneviève Maricaud, qui fait de l'anglais, de
même que René Hallé, qui est à côté d'elle. La
petite blonde, c'est Jean Tomlinson. Elle est au
St. Catherine's, elle aussi. Elle s'occupe de physiothérapie. Le Noir, c'est Akibombo. Il est originaire de
l'Afrique occidentale et il est charmant. Plus loin,
c'est Elizabeth Johnston. Elle est de la Jamaïque et
elle fait son droit. Près de nous, à ma droite, ce sont
deux étudiants turcs, arrivés il y a une huitaine de
jours et qui ne savent pas quatre mots d'anglais...

— Je vous remercie, mademoiselle. Et tous ces
gens-là vivent en bonne intelligence ? On ne se dispute pas ?

Il avait posé la question comme en plaisantant.

— Nous avons bien trop à faire pour passer notre temps à nous quereller. Pourtant...

— Pourtant... ?

— Je pensais à Nigel... Celui qui est à côté de Mrs Hubbard... Il adore taquiner les gens, les exaspérer... et il y en a qui se fâchent. Len Bateson, par exemple. Il a des colères terribles. Et c'est le plus charmant garçon de la terre !

— Colin Mac Nabb a des réactions moins vives ?

— Colin ?... Il se contente de froncer le sourcil. Ça l'amuserait plutôt...

— Et, entre jeunes filles, vous vous entendez bien ?

— Dans l'ensemble, oui. Geneviève n'est pas toujours facile à vivre. Les Français, je crois, sont assez susceptibles... Oh ! pardon !

Celia était l'image même de la confusion. Poirot sourit.

— Ne vous excusez pas ! Moi, je suis belge.

Très vite, pour ne pas laisser à la jeune fille le temps de se ressaisir, il ajouta :

— Que vouliez-vous dire, tout à l'heure, Miss Austin, quand vous avez dit : « Je me demandais... », commençant une phrase que vous n'avez pas terminée ? Que vous demandiez-vous ?

Nerveusement, elle pétrissait entre ses doigts une boulette de pain.

— Oh ! rien... Non, vraiment... On a fait, ici, quelques farces ridicules et je pensais que, peut-être, Mrs Hubbard... Mais c'était, de ma part, une idée stupide...

Poirot n'insista pas. Il se tourna vers Mrs Hubbard et se trouva bientôt engagé dans une conversation à trois, avec elle et avec Nigel Chapman. Amateur de paradoxes, le jeune homme soutenait que le crime était une forme de la création artistique et que les individus les plus malfaisants de la société étaient les policiers, que seul un sadisme ina-

voué avait poussés vers la profession qu'ils avaient
choisie. Poirot remarqua avec amusement que la
jeune fille aux lunettes, assise près de Nigel, essayait désespérément de commenter les propos de
son voisin, pour en atténuer la portée. Nigel, cependant, ne lui accordait pas la moindre attention.
Mrs Hubbard suivait le débat en souriant.

— Aujourd'hui, dit-elle, les jeunes gens sont gra-
ves. De mon temps, on savait s'amuser. Nous dan-
sions. Vous pourriez danser aussi ! Il vous suffirait
de rouler les tapis dans le living-room. Le plancher
est excellent et vous avez la radio. Mais c'est une
idée qui ne vous vient jamais !

Riant, Celia dit, avec une pointe de malice :

— Pourtant, Nigel est bon danseur. J'ai dansé
avec lui une fois. Mais il ne s'en souvient pas...

Nigel tourna vers Celia un visage incrédule.

— Nous avons dansé ensemble ? Où ça ?

— A Cambridge. Pendant le Mai.

— Vous m'en direz tant !

D'un geste expressif, Nigel balaya ces folies de
jeunesse.

— L'adolescence est un âge stupide, expliqua-t-il.
Heureusement, on s'en sort !

Nigel n'avait certainement pas plus de vingt-cinq
ans. Poirot, derrière sa grosse moustache, réprima
un sourire. Patricia Lane, cependant, répondait à
Mrs Hubbard :

— Nous avons tant à faire, Ma ! Avec les cours
et nos notes à mettre au propre, comment voulez-
vous que nous trouvions le temps de danser ?

— Possible ! répliqua Mrs Hubbard. Mais on
n'est jeune qu'une fois !

Le dîner s'acheva sur un pudding au chocolat. On
passa ensuite dans le living-room. Le café pris,

Mrs Hubbard annonça la causerie de M. Poirot. Les deux Turcs se retirèrent, non sans s'être fort courtoisement excusés. Les autres s'installèrent sur les sièges et attendirent.

Poirot se leva et se mit à parler, avec son aisance habituelle. Le son de sa voix lui était toujours agréable et son exposé dura trois bons quarts d'heure. Se gardant de pontifier, le détective rappela quelques-unes de ses enquêtes, parmi celles qui prêtaient le mieux à l'enjolivement, et s'il laissa entendre qu'il y avait peut-être en lui du charlatan, il le fit avec beaucoup d'adresse et de discrétion.

— Bref, dit-il, terminant, ce gentleman de la City, je ne lui cachai pas qu'il me faisait penser à certain fabricant de savon de ma connaissance, un Liégeois, qui, pour épouser sa blonde et jolie secrétaire, n'avait pas hésité à empoisonner sa femme. Je lui dis cela sans avoir l'air d'y toucher, mais sa réaction fut celle que je prévoyais. Cet argent qu'on lui avait volé et que j'avais réussi à récupérer, il me suppliait de l'accepter. Il était très pâle et je lisais la peur dans ses yeux. Je pris les billets, en lui disant que la somme tout entière irait à des œuvres de bienfaisance. « Faites-en ce que vous voudrez ! » me répliqua-t-il. Alors, tranquillement, et de façon très significative, je lui dis : « A votre place, monsieur, je serais très, *très prudent*. » Il me répondit d'un signe de tête et, comme je me retirais, je vis qu'il s'épongeait le front avec son mouchoir. Il avait connu une minute d'angoisse, mais... je venais de lui sauver la vie. Car, sa jolie secrétaire, il ne l'a pas épousée, encore qu'il fût très amoureux d'elle, et il n'a pas non plus expédié sa femme dans l'autre monde. Comme on dit en France, il vaut mieux prévenir que guérir... et il est mieux d'empêcher un crime que de le punir. C'est là-dessus que je finirai, avec l'espoir de ne pas vous avoir trop ennuyés.

Il y eut des applaudissements chaleureux. Poirot salua du buste, avec grâce. Il allait se rasseoir quand, tirant sa pipe de sa bouche, Colin Mac Nabb dit, d'une voix posée :

— Peut-être consentirez-vous, maintenant, monsieur Poirot, à nous parler du véritable motif de votre visite ?

Il y eut un silence gêné. Promenant son regard à la ronde, Colin reprit :

— On dirait que je vous apprends quelque chose ! M. Poirot nous a fait une gentille petite causerie, mais nous savons tous pourquoi il est parmi nous. Il fait une enquête. Vous n'imaginez pas, monsieur Poirot, que nous ne l'avons pas deviné ?

— Parlez pour vous ! lança Sally.

Colin insistait.

— Je me trompe, monsieur Poirot ?

— J'admets, déclara le détective avec bonne grâce, que Mrs Hubbard m'a confié qu'il s'est passé différentes petites choses qui... lui causent du souci.

Len Bateston s'était levé, l'air hargneux.

— Qu'est-ce que ça signifie, tout ça ? Si je comprends bien, on s'est fichu de nous ?

— C'est seulement maintenant que vous vous en apercevez ? dit doucement Nigel.

Celia était très pâle. Elle murmura :

— Ainsi, j'avais raison.

Avec autorité, Mrs Hubbard mit les choses au point.

— J'ai demandé une causerie à M. Poirot, dit-elle, mais j'ai également sollicité son opinion sur certains événements qui me préoccupent et que vous connaissez. Valait-il mieux alerter la police ?

Confuse et animée, une courte discussion suivit. Geneviève proclamait, en français, que c'était « une honte ». Des voix s'élevaient, pour ou contre. Finalement, Leonard Bateson obtint le silence.

— Puisqu'il est ici, écoutons ce que M. Poirot pense de ce qu'il s'est passé ici !

Mrs Hubbard intervint.

— M. Poirot connaît les faits. S'il désire vous poser des questions, je suppose qu'aucun de vous n'y verra d'inconvénients...

— Merci, dit Poirot.

Sans qu'on l'eût remarqué, il avait tiré de ses poches une paire de souliers de bal, qu'il présentait à Sally Finch.

— Ce sont bien les vôtres, mademoiselle ?

— Mais... il y a *les deux* ! Où avez-vous retrouvé celui qui manquait ?

— Au commissariat de Baker Street, service des objets trouvés.

— Mais comment avez-vous eu l'idée d'aller le chercher là, monsieur Poirot ?

— Déduction pure et simple, mademoiselle. Quelqu'un vous subtilise un soulier. Pourquoi ? Ce n'est ni pour le porter, ni pour le vendre. Seulement, comme il est bien sûr que tout le monde cherchera ce soulier disparu, il faut le faire sortir de la maison ou le détruire. Détruire un soulier, ce n'est pas si facile. Mais on peut le perdre. Pour cela, le meilleur moyen, c'est d'en faire un petit paquet, qu'on abandonnera sous une banquette, dans le métro ou dans l'autobus, à une heure de « pointe ». Cette idée-là m'est venue tout de suite... et vous voyez qu'elle n'était pas si mauvaise. Il va de soi que, si on vous a chipé ce soulier, c'était pour vous taquiner, parce qu'on savait que ça vous ennuierait...

Valerie eut un petit rire.

Nigel haussa les épaules.

— Ça, Nigel, c'est une accusation qui vous vise directement.

— Idiot ! dit Sally. Ce n'est sûrement pas Nigel qui a pris mon soulier !

— Sûrement pas ! lança Patricia. C'est une supposition absurde.

— Je ne sais si c'est une supposition absurde, déclara Nigel, mais ce que je sais, c'est que je ne suis pas le coupable. D'ailleurs, c'est ce que nous dirons tous, je n'en doute pas !

Poirot comme s'il n'avait attendu que cette réplique, se tourna vers Len Bateson, le regarda un instant, puis dévisagea successivement tous les autres, accordant à chacun quelques secondes d'examen.

— Ma position, dit-il ensuite, est très délicate. Je ne suis ici qu'un invité. Je ne suis venu ici que pour passer parmi vous quelques instants agréables, et aussi pour restituer à sa légitime propriétaire une ravissante paire de petits souliers. Pour le reste...

Il marqua un « temps », comme au théâtre, puis il reprit :

— Pour le reste, Mr Bateson — c'est bien Bateson, n'est-ce pas ? — m'a demandé de donner mon opinion sur ce qu'il s'est passé ici. Je ne saurais sans abuser me prévaloir de cette seule invite. Je ne puis parler que si j'en suis prié, non point par un seul d'entre vous, mais par vous tous.

Le noir Mr Akibombo approuva vigoureusement du chef.

— Très bien ! C'est ainsi qu'il faut procéder en

régime démocratique. On vote et la majorité commande.

La voix de Sally Finch s'éleva, impatiente.

— En voilà des histoires ! On est entre amis. Alors, pourquoi tant de chichis ? Ecoutons ce que M. Poirot a à nous dire, un point, c'est tout !

— Tout à fait mon avis ! dit Nigel.

Poirot s'inclina courtoisement à la ronde.

— Parfait ! dit-il. Puisque vous êtes tous d'accord, je vais vous dire ce que je ferais si j'étais à la place de Mrs Hubbard, ou de Mrs Vanilos, si vous préférez. J'appellerais la police *tout de suite*. Sans perdre une minute...

CHAPITRE V

La déclaration de Poirot, à laquelle nul, certes, ne s'attendait, ne provoqua ni protestation, ni commentaires. Elle fut suivie d'un silence soudain, dont le détective profita pour prendre congé, après un bonsoir collectif, courtois, mais hâtif.

Poirot, quelques instants plus tard, se retrouva dans le petit salon de Mrs Hubbard, installé dans un fauteuil, au coin du feu. Mrs Hubbard, visiblement soucieuse, lui offrit une cigarette, qu'il refusa poliment, en expliquant qu'il préférait les siennes. Il lui en proposa une.

— Merci, dit-elle, je ne fume pas.

Assise en face de lui, elle reprit, après un moment d'hésitation :

— Je crois, monsieur Poirot, que vous avez raison. Nous *devrions* peut-être remettre cette affaire entre les mains de la police, surtout après cette histoire d'encre renversée. Pourtant, j'aurais préféré que vous ne leur donniez pas votre opinion si nettement...

Poirot avait allumé une de ses minuscules cigarettes orientales. Suivant des yeux la fumée qui montait vers le plafond, il dit :

— D'après vous, j'aurais dû déguiser ma pensée ?

— Je n'irai pas jusqu'à dire ça. J'apprécie trop la franchise et la loyauté. Seulement, il me semble qu'il aurait mieux valu garder le silence et faire venir un officier de police, qu'on aurait mis discrètement au courant. Car, maintenant, quel qu'il soit, le coupable est prévenu !

— Peut-être.

— Peut-être ? Sûrement. Même si c'est un domestique ou un étudiant qui a passé la soirée dehors ! Ces choses-là se savent vite...

— Très exact.

— Et puis, il y a Mrs Vanilos ! Je ne sais pas comment elle va prendre ça.

— Il sera intéressant de le voir.

— De toute façon, nous ne pouvons pas appeler la police sans son consentement... Qu'est-ce que c'est que ça ?

On avait frappé à la porte. Des coups secs et autoritaires. On recommença et, presque avant que Mrs Hubbard eût d'une voix irritée crié : « Entrez ! » Colin Mac Nabb, la pipe aux dents et le sourcil froncé, pénétrait dans la pièce.

Il ferma la porte derrière lui, retira sa pipe de sa bouche et dit :

— Excusez-moi, Mrs Hubbard, mais je voudrais dire deux mots à M. Poirot.

— A moi ?

Poirot semblait très surpris.

— A vous, oui.

Colin empoigna une chaise par le dossier et s'assit, sans plus de façons.

— Monsieur Poirot, commença-t-il avec une certaine condescendance, vous nous avez fait ce soir une amusante petite causerie. Je reconnais que vous ne manquez pas d'expérience, que vous avez mené des enquêtes fort diverses, mais, vous me pardonnerez de le dire, je considère que vos méthodes et vos idées sont également périmées.

Mrs Hubbard rougit.

— Colin !... Vous êtes d'une impolitesse !

Il protesta :

— Je ne dis pas cela pour blesser M. Poirot, mais je veux parler net. Pour vous, monsieur Poirot, il y a le Crime et le Châtiment, et pas autre chose. Vous ne sortez pas de là.

— L'un entraîne l'autre logiquement.

— Votre façon de voir, c'est celle de la Justice et, ce qui est pis, de la Justice à la mode d'autrefois. Aujourd'hui, les juges eux-mêmes, monsieur Poirot, savent que les mobiles d'un crime doivent, eux aussi, être pris en considération. Les *mobiles,* monsieur Poirot, voilà ce qui compte !

— Tout à fait d'accord.

— Alors, monsieur Poirot, quant à ce qu'il s'est passé dans cette maison, ne convient-il pas de rechercher les *causes* ? La question à poser, c'est : « *Pourquoi ?* »

— C'est bien mon avis.

— Il n'y a pas d'acte sans mobile et il est très possible, en l'occurence, que le mobile justifie l'acte.

Mrs Hubbard ne put se contenir plus longtemps. Elle dit d'un ton tranchant :

— Ridicule !

Colin tourna la tête vers elle.

— Non, Mrs Hubbard. Il y a des éléments psychologiques dont on ne peut pas ne pas tenir compte.

— Des niaiseries ! répliqua Mrs Hubbard.

— Pour vous ! Parce que ce sont des choses dont vous ne connaissez rien...

Ayant dit, Colin revint à Poirot.

— Etudiant en psychologie et en psychiatrie, ces questions-là m'intéressent et le point sur lequel je veux attirer votre attention, monsieur Poirot, c'est que vous ne pouvez pas régler le problème de la criminalité en invoquant la doctrine du péché originel. Il faut déterminer l'origine du mal et traiter le délinquant comme un malade. Ces idées n'avaient pas cours de votre temps et je conçois qu'elles vous paraissent difficiles à admettre...

— Un voleur, c'est un voleur ! lança Mrs Hubbard.

Colin haussa les épaules, agacé.

— Mes idées datent, très certainement, dit Poirot d'une voix douce, mais je ne demande qu'à vous écouter, monsieur MacNabb.

Colin parut heureusement surpris.

— Voilà qui est bien parlé, monsieur Poirot. Je vais donc essayer de vous expliquer comment je vois les choses, et cela avec des mots très simples.

— Je vous en suis par avance reconnaissant.

— Si vous le voulez bien, je commencerai par ces souliers que vous avez restitués ce soir à Sally Finch. Si vous vous souvenez, on n'en avait volé qu'*un seul*.

— Le fait m'avait frappé, en effet.

— Oui, mais sa *signification*, l'avez-vous vue ?

C'est le plus bel exemple qu'on puisse rêver. Nous avons là le *complexe de Cendrillon.* J'imagine que vous connaissez l'histoire de Cendrillon.

— Naturellement.

— Cendrillon, qui est le souffre-douleur de sa famille, est assise au coin de l'âtre. Ses sœurs, dans leurs plus beaux atours, sont au bal du prince. Une bonne fée permet à Cendrillon de s'y rendre également. Au dernier coup de minuit, sa jolie robe se transforme en haillons et elle s'enfuit, perdant, dans sa hâte, *un de ses souliers.* Dans le cas qui nous occupe, nous sommes en présence de quelqu'un qui, sans en avoir conscience, bien entendu, est un peu Cendrillon, souffrant de frustration, d'envie et d'un complexe général d'infériorité. Cette fille finit par voler un soulier. Pourquoi ?

— *Cette fille ?*

— Bien sûr ! Il n'y a pas besoin d'être très intelligent pour comprendre que ce ne peut être qu'une fille.

— Colin !

Le rappel à l'ordre était de Mrs Hubbard, mais Poirot dit seulement :

— Continuez, je vous prie.

— Pourquoi elle commet ce vol, il est probable qu'*elle ne le sait pas elle-même*, mais le *mobile* qui la fait agir est évident. Elle veut être la princesse, elle veut être reconnue par le prince et aimée de lui. Autre détail lourd de sens, le soulier qu'elle vole appartient à une jolie fille *qui doit aller à un bal.*

Tenant à la main sa pipe, depuis longtemps éteinte, Colin, emporté par l'ardeur de sa démonstration, faisait autant de gestes que Poirot dans ses meilleurs jours.

— Voyons la suite ! Nous avons tout un bric-à-brac d'objets divers, qui sont tous des accessoires de la beauté féminine : un compact de poudre, un bâton de rouge à lèvres, des boucles d'oreilles, une bague. Cela nous apprend deux choses. D'abord, que cette fille veut être *remarquée* et, ensuite, que, comme beaucoup de jeunes délinquants, elle veut être *punie*. Il ne s'agit pas là de véritables vols, la *valeur* des objets, en la circonstance, ne joue pas. Le cas est le même que celui des femmes de la bonne bourgeoisie qui, dans les grands magasins, subtilisent des articles qu'elles auraient parfaitement le moyen d'acheter.

Mrs Hubbard ricana.

— Balivernes ! Ce sont des voleuses, ni plus, ni moins !

— Pourtant, dit Poirot de son côté, la bague était d'un certain prix ?

— Elle a été rendue.

— Quant au stéthoscope, Mr Mac Nabb, vous n'allez pas me dire que c'est un accessoire de la beauté féminine !

— Ça, c'est autre chose ! C'est plus subtil. Une femme, frustrée de ses aspirations féminines, peut fort bien transférer ailleurs ses ambitions et les sublimer dans le domaine professionnel, par exemple.

— Et le livre de cuisine ?

— Symbole de la vie familiale, du foyer...

— Et l'acide borique ?

Colin eut un geste d'agacement.

— Mon cher monsieur Poirot, croyez-vous vraiment que quelqu'un volerait de l'acide borique ?

— C'est justement ce que je me demande,

Mr Mac Nabb. Pour le reste, je reconnais que vous semblez avoir réponse à tout. Pourtant, vous ne m'avez pas dit ce que peut signifier le vol d'un vieux pantalon de flanelle... Un pantalon qui vous appartenait, je crois ?

Colin, pour la première fois, parut embarrassé. Il s'éclaircit la gorge avant de répondre.

— L'explication est possible, mais assez compliquée et, peut-être, un peu... gênante.

— Vous ne voulez pas me faire rougir ?

Poirot se pencha en avant pour donner quelques petites tapes sur le genou de Colin, et reprit :

— Et l'encre renversée sur les notes de Miss Johnston ? Et cette écharpe mise en morceaux ? Ça ne vous paraît pas inquiétant, ça ?

Colin perdait visiblement de sa superbe.

— Si, dit-il. C'est très grave. Cette fille doit être soignée *tout de suite*. Je dis bien *soignée*. Elle relève de la médecine, et non de la police. Elle ne comprend d'ailleurs rien à ce qui lui arrive. Elle n'en peut plus, elle...

Poirot lui coupa la parole.

— Vous savez qui elle est ?

— C'est-à-dire que j'ai de sérieux soupçons.

— Récapitulons ! dit Poirot à mi-voix. C'est une fille timide, qui n'a que peu de succès auprès des garçons, pas très vive en ses réactions, qui se sent très seule, souffre d'un complexe d'infériorité...

On frappa à la porte. Poirot se tut.

— Entrez ! dit Mrs Hubbard.

La porte s'ouvrit. Celia Austin pénétra dans la pièce.

— Tiens ! murmura Poirot, hochant la tête. Miss Austin ! Comme c'est curieux !

Celia regardait Colin. La peur se lisait dans ses yeux.

— Je ne savais pas que vous étiez là, dit-elle d'une voix blanche. Je suis venue...

Elle prit une profonde inspiration et courut à Mrs Hubbard.

— Mrs Hubbard, je vous en supplie, n'appelez pas la police ! La coupable, c'est moi ! C'est moi qui ai tout pris ! Pourquoi ? Je n'en sais rien. Je ne voulais pas faire ça ! C'est malgré moi que...

S'interrompant brusquement, elle se tourna vers Colin :

— Maintenant, vous savez ce que je suis ! J'imagine que vous ne m'adresserez plus jamais la parole, je sais que je vous fais horreur...

— Oh ! pas du tout ! s'écria-t-il avec bonne humeur ! Vous avez perdu un peu les pédales et c'est tout ! C'est une espèce de maladie. Faites-moi confiance, Celia, et vous serez vite guérie !

— Vraiment, Colin ?

Elle posait sur lui un regard d'adoration.

— J'ai été si malheureuse !

Il lui prit la main.

— A partir de maintenant, vous n'avez plus à vous tracasser !

Il se leva, passa son bras sous celui de Celia et, s'adressant à Mrs Hubbard, ajouta :

— J'espère qu'il n'est plus question d'alerter la police. Rien n'a disparu qui ait quelque valeur et tout ce qu'elle a pris, Celia le rendra.

— Pour le bracelet et le compact, dit Celia avec embarras, ce ne sera pas possible. Je les ai jetés à l'égout, mais je les remplacerai.

— Et le stéthoscope, demanda Poirot, qu'est-ce que vous en avez fait ?

Elle rougit.

— Le stéthoscope ? Je n'y ai jamais touché. A quoi m'aurait-il servi ? Et ce n'est pas moi non plus qui ai versé de l'encre sur les papiers d'Elizabeth ! Je serais incapable de faire ça.

— Pourtant, fit remarquer Poirot, vous avez déchiré l'écharpe de Miss Hobhouse...

Elle répondit d'une voix mal assurée :

— Ça, c'est différent !... Valerie, *ça lui était égal* !

— Ah ?... Et le sac à dos ?

— Ça, ce n'est pas moi ! Il s'agissait d'un mouvement de colère.

Poirot tira de sa poche la liste qu'il avait copiée sur le carnet de Mrs Hubbard.

— Jetez un coup d'œil là-dessus, reprit-il, et dites-moi cette fois la vérité ! Précisez les disparitions dont vous êtes responsable, et les autres !

Celia répondit sans hésiter.

— Je ne sais rien du sac à dos, rien des ampoules électriques, rien de l'acide borique et rien des sels de bain. La bague, c'était une erreur ! Quand je me suis rendu compte qu'elle avait de la valeur, je me suis arrangée pour la rendre.

— Ah !

— Parce que, vous comprenez, je ne voulais pas vraiment voler. Je voulais seulement...

— Vous vouliez seulement... ?

Elle baissa les paupières.

— Je ne sais pas... Je ne sais plus...

Colin intervint, d'un ton péremptoire :

— Je vous serais reconnaissant, monsieur Poirot, de ne pas lui faire de la morale. Je puis vous promettre qu'elle ne recommencera pas et, désormais, je réponds d'elle comme de moi-même !

— Oh ! Colin, comme vous êtes bon !

— Il faudra, Celia, que vous me parliez beaucoup de vous. De votre enfance, notamment. Vos parents s'entendaient-ils bien ?

— Oh ! non. A la maison, c'était terrible !

— Je m'en doutais. Et...

Mrs Hubbard jugea que le dialogue avait assez duré.

— Voilà qui suffit ! Je suis heureuse, Celia, que vous ayez avoué. Vous nous avez causé bien du tracas, j'espère que vous vous repentez et j'ajoute que je veux bien vous croire sur parole quand vous dites que ce n'est pas vous qui avez versé de l'encre sur les notes d'Elizabeth. Ça ne vous ressemble pas ! Là-dessus, vous et Colin, vous pouvez vous retirer. Je vous ai, tous les deux, assez vus pour ce soir !

Quand la porte se fut refermée sur eux, Mrs Hubbard poussa un soupir de soulagement et se tourna vers Poirot.

— Alors, monsieur Poirot ? Que pensez-vous de tout ça ?

Les yeux du détective brillaient d'un éclat inhabituel.

— Je pense, répondit-il, que nous venons d'assister à une scène d'amour ultra-moderne. Autres temps, autres mœurs. Quand j'étais jeune, les garçons prêtaient aux filles des bouquins de théosophie et discutaient avec elles *l'Oiseau Bleu*, de Maeterlinck. On était sentimental et romanesque. Aujourd'hui, ce qui rapproche les jeunes gens, ce sont leurs complexes, le fait qu'ils n'arrivent pas à s'adapter...

— Niaiseries !

— Ce n'est pas mon avis. Il y a du vrai dans ce qu'a dit le jeune Colin. Seulement, il en vient à tout expliquer par des complexes et il ne voit plus que des gens victimes de leur enfance malheureuse...

— Celia avait quatre ans quand son père est mort et son enfance a été très heureuse avec une mère un peu sotte, mais gentille.

— Oui, mais Celia est assez intelligente pour ne pas dire ça au jeune Mac Nabb. Elle ne lui dira que ce qu'il souhaite d'entendre. Elle est très amoureuse de lui, vous savez ?

— Vous croyez à toutes les stupidités qu'il nous a racontées ?

— Non. Je ne crois ni que Celia souffre du complexe de Cendrilon, ni qu'elle a agi sans savoir ce qu'elle faisait. Je pense qu'elle a risqué quelques vols sans gravité, à seule fin d'attirer sur elle l'attention de l'austère Colin. Il faut reconnaître qu'elle a pleinement réussi. Si elle était restée sagement dans son coin, il ne lui aurait peut-être jamais accordé un regard. Et, à mon humble avis, pour avoir l'homme qu'elle aime, une fille a le droit de recourir aux moyens les plus désespérés.

— Je ne l'aurais pas crue capable d'imaginer ça !

Poirot ne répondit pas et son visage se rembrunit.

— Il reste, poursuivit Mrs Hubbard, que je vous ai dérangé pour rien. Je suis navrée, monsieur Poirot, de vous avoir fait gâcher quelques heures d'un temps que je sais précieux. Vous m'en excuserez ! Heureusement, tout est bien qui finit bien !

Poirot secoua la tête.

— Je ne crois pas que cette histoire soit terminée. Nous avons écarté de notre route quelques broussailles gênantes, mais il nous reste du chemin à faire. Bien des choses demeurent inexpliquées et, contrairement à ce que vous pensez, je crois, moi, que l'affaire est sérieuse, très sérieuse.

Mrs Hubbard fronça le front.

— Vraiment, monsieur Poirot ?

— C'est mon impression... Est-ce que je pourrais m'entretenir avec Miss Patricia Lane ? J'aimerais voir cette bague qu'on lui a volée.

— Rien de plus facile, monsieur Poirot ! Je descends et je vous l'envoie. Il faut que je dise deux mots à Len Bateson.

Quelques instants plus tard, Patricia Lane se trouvait en présence de Poirot. Elle semblait assez intriguée.

— Je regrette, Miss Lane, de vous importuner...

— Ne vous excusez pas, je vous en prie ! Je n'avais rien à faire. Mrs Hubbard a dit que vous voudriez voir ma bague...

Elle la retira de son doigt et la remit au détective.

— C'est un beau diamant, mais, évidemment, la monture n'est plus à la mode. C'est la bague de fiançailles de ma mère.

Poirot examinait le bijou.

— Madame votre mère vit toujours ?

— Non. Mes parents sont morts, tous les deux.

— Triste !

— Oui. Je les aimais bien... et, pourtant, je n'ai peut-être pas été avec eux tout à fait comme j'aurais dû être. On s'aperçoit de ça quand il est trop tard. Maman aurait voulu une fille jolie, coquette, aimant les belles robes et la vie mondaine. Elle a été très déçue quand je me suis dirigée vers l'archéologie...

— Vous avez toujours eu une tournure d'esprit très sérieuse ?

— Je crois. J'ai le sentiment que l'existence est

si brève qu'elle n'a de sens que si l'on fait quelque chose qui vaut la peine.

Poirot, maintenant, regardait Patricia. Elle devait avoir un peu plus de trente ans. Exception faite d'un peu de rouge, écrasé à la diable sur ses lèvres, elle ne portait aucun maquillage. Elle était coiffée sans grâce, ses cheveux, d'un châtain sans éclat, rejetés en arrière comme d'un coup de peigne hâtif. Elle avait de beaux yeux bleus. Et de grosses lunettes.

« Elle manque d'allure, songeait Poirot. Elle est fagotée comme la poupée du loup. Bien élevée, intelligente, cultivée, mais fatigante. Et, avec les années, ça ne fera que croître et embellir ! Quand je pense à la comtesse Rossakoff ! Elle a gardé dans sa vieillesse une splendeur, un rayonnement... Les filles d'aujourd'hui... Je ne suis peut-être si sévère que parce que je vieillis. Il se peut, après tout, qu'aux yeux de quelqu'un celle-ci apparaisse comme une véritable Vénus ! Pourtant, j'en doute ! »

Patricia parlait.

— J'ai été révoltée par ce qu'on a fait à Bess... à Miss Jonhston. Et, à ce propos, monsieur Poirot, je veux vous dire que, si on s'est servi d'encre verte, c'est exprès, pour que les soupçons portent sur Nigel. Je puis vous garantir que jamais Nigel ne ferait une chose pareille !

— Ah !

Poirot regardait la jeune fille avec un intérêt accru. S'échauffant, elle poursuivait :

— Nigel n'est pas facile à comprendre. Il a eu une enfance malheureuse...

— Mon Dieu ! Encore un !

— Pardon ?

— Rien. Vous disiez ?

— Je disais que Nigel est un garçon qu'il faut connaître. Il est de caractère très indépendant. Il est très fort, très brillant, mais aussi, je dois le dire, très maladroit. Il se moque des gens, vous comprenez ? Et il juge indigne de lui d'expliquer et de se défendre. Même si tout le monde dans cette maison, pense que c'est lui qui a versé de l'encre sur les papiers de Bess, il ne se donnera pas la peine de dire que ce n'est pas vrai ! Il dira : « Pensez-en ce que vous voulez. Ça m'est égal !... » C'est une attitude stupide.

— Et dangereuse.

— C'est de l'orgueil, je crois. Il est comme ça, parce qu'on ne l'a jamais compris.

— Vous le connaissez depuis longtemps ?

— Non, depuis un an environ. Nous nous sommes rencontrés en France, où nous faisions, tous les deux, le circuit des châteaux de la Loire. Il a eu une attaque de grippe, qui a dégénéré en pneumonie, et c'est moi qui l'ai soigné. Bien que de constitution très délicate, il ne prend aucun soin de sa santé. Ce qui explique que, si indépendant qu'il se veuille, il faut qu'on le surveille comme un gosse. Il a vraiment besoin qu'on s'occupe de lui.

Poirot soupira discrètement. Décidément, il y avait trop d'amour dans cette aventure. Après Celia, Patricia ! Bien sûr, les jeunes gens étaient faits pour s'aimer. Seulement, Poirot, lui, avait passé l'âge. Il se leva.

— Vous me permettez, mademoiselle, de garder votre bague ? Je vous la rendrai demain, sans faute.

La question la surprit, mais elle n'appelait qu'une réponse :

— Certainement, monsieur Poirot.

— Je vous remercie. Un conseil, avant de nous quitter. Faites attention !

— Attention à quoi ?

— Je voudrais bien être en mesure de vous le dire !

Poirot restait très inquiet.

CHAPITRE VI

Mrs Hubbard se leva, le lendemain, d'excellente humeur. Elle se sentait délivrée d'un poids. Le doute ne la tourmentait plus. Une petite idiote avait accumulé les sottises, mais on savait qui elle était et, désormais, l'ordre régnerait dans la maison.

Dès qu'elle fut descendue au living-room pour le petit déjeuner, Mrs Hubbard déchanta. On aurait cru que les pensionnaires, ce jour-là, s'étaient donné le mot pour se montrer insupportables, chacun à sa manière.

Mr Chandra Lal, à qui on avait raconté le vilain tour joué à Elizabeth Johnston, tenait qu'il s'agissait là d'une manifestation raciste et ne faisait pas mystère de son opinion.

— Les vieux préjugés contre les gens de couleur existent toujours ! Nous en avons là un magnifique exemple.

Mrs Hubbard protesta.

— Rien ne vous autorise à dire cela, Mr Chandra Lal ! Le coupable, on ne le connaît pas !

— Mais, fit remarquer Jean Tonlinson, est-ce que Celia n'a pas avoué ? Je trouve ça très bien de sa part, d'ailleurs, et j'estime que nous devons, tous, être très gentils avec elle !

Nigel haussa les épaules.

— Avouer ! Vous ne pourriez pas user d'un vocabulaire moins... révoltant ?

— Je ne vois pas en quoi le mot vous choque. Il est dans le dictionnaire...

— Laissez donc le dictionnaire tranquille !

— Enfin, Ma, qu'est-ce que ça signifie, tout ça ? Est-ce que Celia aurait reconnu avoir chipé les affaires qui ont disparu et est-ce pour cela qu'elle n'est pas encore descendue ?

— Je ne comprends pas de quoi vous parlez, dit Mr Akibombo. Si vous m'expliquiez de quoi il s'agit ?

Personne ne se donna la peine de le renseigner. Chacun tenait à dire son mot.

— Pauvre gosse ! dit Len Bateson. Elle était donc si fauchée ?

— Moi, déclara Sally, ça ne m'étonne qu'à moitié. J'ai toujours pensé...

Elizabeth prit la défense de Celia :

— Vous n'allez pas me dire que c'est Celia qui a versé de l'encre sur mes notes ? C'est inconcevable !

Mrs Hubbard réussit à se faire entendre.

— C'est un méfait qu'on ne saurait imputer à Celia et vous me ferez plaisir en parlant d'autre chose. Je me proposais de tout vous raconter un peu plus tard, mais...

— Mais, dit Valerie, Jean, hier soir, était derrière la porte...

— Je n'écoutais pas. Je passais et...

Nigel coupa court aux justifications de Jean.

— Ma chère Besse, vous savez très bien qui a

rendu vos notes inutilisables. *C'est moi !* Je suis malfaisant de nature et j'ai de l'encre verte, vous ne l'ignorez pas !

— Ce n'est pas lui ! Il se vante ! Nigel, comment pouvez-vous être si bête ?

— Je vous couvre généreusement, ma petite Pat ! Qui est-ce qui m'a emprunté mon encre verte, hier matin ? *Vous !*

— Je ne comprends pas, dit une nouvelle fois Mr Akibombo.

— Vous ne vous en porterez pas plus mal ! lui lança Sally. A votre place, je ne m'occuperais pas de cette histoire-là !

Mr Chandra Lal se leva.

— Et vous demandez pourquoi il y a des Mau-Mau ? Pourquoi l'Egypte se montre intransigeante dans l'affaire du canal de Suez ?

Nigel posa sa tasse avec une telle violence qu'elle se brisa.

— Et zut ! Tout à l'heure, le dictionnaire ! Maintenant, de la politique ! *Au petit déjeuner !* J'aime mieux ficher le camp !

Il repoussa sa chaise du pied et se dirigea vers la porte. Patricia courut derrière lui.

— Couvrez-vous bien, Nigel. Le vent est très froid.

Valerie ricana.

— C'est beau, le dévouement ! Un de ces jours, il va lui pousser des ailes !

Geneviève, la Française, à. qui ses connaissances d'anglais ne permettaient pas de se mêler à la conversation, avait compris l'essentiel de ce qui s'était dit et, utilisant sa langue maternelle, déversait un flot de paroles dans l'oreille de René, son compatriote.

— Ainsi, c'est cette petite chipie qui m'a volé mon

compact ? C'est honteux ! Je porterai plainte. Je n'admettrai jamais...

Colin Mac Nabb avait, à différentes reprises, essayé de placer un mot, mais sa voix grave avait été recouverte par d'autres, plus élevées. Exaspéré, il frappa du poing sur la table. Tout le monde se tut. Un pot de confiture d'oranges tomba par terre et se cassa.

— Vous voulez tenir vos langages un instant et écouter ce que j'ai à vous dire ? Vous vous montrez à la fois stupides et ignares. La psychiatrie, pour vous, ça n'existe pas ? Cette petite, il n'y a rien à lui reprocher, c'est moi qui vous le dis ! Elle traverse une pénible crise émotionnelle et elle a besoin d'être entourée de soins et de sympathies, si on ne veut pas qu'elle reste une instable jusqu'à la fin de ses jours. Voilà ce qu'il faut que vous sachiez !

— Qu'on soit gentil avec elle, dit Jean d'une voix pleine de suffisance, d'accord ! Seulement, il n'est pas possible de fermer les yeux sur tout. Il s'agit de vols...

— Des vols ! s'écria Colin. Mais, encore une fois, ce ne sont pas des vols ! Vous me faites mal, tous autant que vous êtes !

Valerie se tourna vers lui, ironique.

— Elle représente un cas intéressant, n'est-ce pas, Colin ?

— Du point de vue psychologique, certainement.

— *Moi*, reprit Jean, elle ne m'a rien pris. Mais je pense...

Colin ne lui permit pas d'achever.

— Naturellement, elle ne vous a rien pris ! Et, si vous compreniez pourquoi, vous n'en seriez pas autrement fière...

— Je ne vois pas...

— N'insistez pas, Jean ! dit Len Bateson. Cette

discussion n'a aucun sens. Venez ! Nous ne sommes déjà pas en avance...

Ils sortirent ensemble.

— Pour ma part, déclara Mr Chandra Lal, je tiens à signaler que je déplore qu'on m'ait volé mon acide borique. Mes bains d'yeux...

— Mr Chandra Lal, dit Mrs Hubbard d'un ton ferme, vous serez en retard, vous aussi.

— Mon professeur n'est pas toujours à l'heure...

Malgré cela, Mr Chandra Lal se leva et se dirigea vers la porte.

— En tout cas, dit Geneviève, mon compact, il faudra qu'elle me le rende !

La phrase avait été prononcée en français. Mrs Hubbard rappela la jeune fille à l'ordre.

— Geneviève, vous ne ferez jamais de progrès en anglais, si vous ne perdez pas l'habitude de parler français à la moindre occasion. D'autre part, je vous rappelle que vous avez dîné ici dimanche et que vous me devez toujours votre repas.

— Je n'ai pas mon argent, Mrs Hubbard, mais je vous paierai ce soir. Filons, René ! On sera en retard.

Mr Akibombo promenait autour de lui des regards navrés.

— Je ne comprends pas...

Sally eut pitié de lui.

— Venez, Akibombo ! Je vous expliquerai en route...

Mrs Hubbard les regarda partir, puis elle poussa un long soupir.

— Pourquoi diable ai-je accepté de venir ici ?

Valérie, maintenant seule à table, sourit gentiment à Mrs Hubbard.

— Ne vous tracassez pas, Ma ! Tout ça va se

tasser. Ce matin, tout le monde était un peu nerveux...

— Evidemment. J'avoue que, moi-même, j'ai été surprise...

— Que ce soit Celia ?

— Oui. Ça ne vous a pas étonnée ?

— Pas tellement.

— Vous la soupçonniez ?

— Non, mais certaines petites choses m'intriguaient. Ce qu'il y a de sûr, c'est qu'elle a amené Colin où elle voulait.

— C'est d'ailleurs assez déplaisant.

Valerie se mit à rire.

— Que voulez-vous, Ma ? On ne s'attache pas un homme en lui tirant des coups de revolver, mais on peut le conquérir en jouant les kleptomanes ! La preuve est faite. Et, si vous voulez que nous ayons la paix à table, tâchez de vous arranger pour que Celia rende son compact à Geneviève !

Mrs Hubbard ne sourit même pas.

— Nigel a cassé une tasse et un pot de confitures.

— Fichue matinée, hein ?

Valerie sortit là-dessus et Mrs Hubbard l'entendit qui, dans le vestibule, disait bonjour à Celia. Peu après, celle-ci entrait.

— Bonjour, Mrs Hubbard.

— Bonjour, Celia. Vous êtes en retard. Le café est froid et il ne reste plus grand-chose.

— Je ne voulais pas rencontrer les autres.

— Je l'avais deviné. Pourtant, vous serez bien obligée de les voir.

— Je le sais... Seulement, il me semble que, ce soir, ce me sera moins pénible. Naturellement, je ne resterai pas ici. Je m'en irai à la fin de la semaine...

Mrs Hubbard fronça le sourcil.

— Je ne crois pas que ce soit nécessaire. Il faut

vous attendre à quelques réflexions désobligeantes...
et tout de même méritées, mais, au fond, vos camarades ne sont pas méchants. Bien sûr, vous réparerez,
dans la mesure où ce sera possible...

— Oh ! oui, s'écria Celia avec chaleur. C'est justement une des choses dont je voulais vous parler !

Elle tenait à la main son carnet de chèques et une
enveloppe. Elle poursuivit :

— Je vous avais écrit une petite lettre pour le cas
où vous seriez sortie quand je descendrais, et j'avais
l'intention de glisser dedans un chèque, pour que
vous indemnisiez tout le monde. Mais j'ai manqué
d'encre...

— Il faudra que nous dressions une liste.

— J'en ai fait une. Seulement, je ne sais s'il vaut
mieux que je remplace ce que j'ai pris ou que je
donne l'équivalent en argent...

— Je réfléchirai à ça. Il faut voir !

— Mais ça ne m'empêche pas de vous remettre un
chèque ! Je me sentirai tellement mieux quand vous
l'aurez !

Mrs Hubbard fut sur le point de faire observer à
Celia qu'il ne lui appartenait pas, à elle, de l'aider à
se délivrer des remords qu'elle pouvait avoir, mais
elle pensa à temps que, les jeunes gens manquant
toujours d'argent liquide, les choses s'arrangeraient
peut-être plus facilement ainsi.

— Soit ! dit-elle.

Jetant un coup d'œil sur la liste établie par Celia,
elle ajouta :

— Combien tout cela peut-il représenter ? C'est
bien difficile à dire...

— Evaluez ça en gros, Mrs Hubbard ! Je vous
donnerai le chèque. S'il y a trop, vous me rendrez de
l'argent. Sinon, je compléterai.

— Bien.

Mrs Hubbard fixa un chiffre, dont elle estimait qu'il lui laissait de la marge. Celia ne fit aucune objection et ouvrit son chéquier.

— Il faut que je remplisse mon stylo !

Elle alla aux rayons, sur lesquels les pensionnaires de la maison se débarrassaient de certaines de leurs affaires.

— La seule encre qu'il y ait ici est cette horrible encre verte dont Nigel se sert. Tant pis ! Va pour celle-là ! Il ne dira rien. Je lui en rapporterai un flacon.

Elle emplit son stylo, signa un chèque et le remit à Mrs Hubbard. Puis, regardant sa montre, elle s'écria :

— Je suis en retard ! Je crois que je me passerai de petit déjeuner.

— Vous aurez tort, Celia ! Mangez au moins une tartine de beurre ! Il ne faut jamais sortir le ventre creux... Qu'est-ce que c'est ?

La question s'adressait à Geronimo, le domestique italien. Il était debout à la porte. De là, avec de grands gestes et des grimaces quasi simiesques, il s'efforçait d'attirer l'attention de Mrs Hubbard.

— C'est la *padrona*, madame. Elle vient d'arriver. Elle veut vous voir.

Levant les deux bras au plafond dans un dernier geste, l'homme ajouta :

— Elle est d'une humeur !

— Bon ! Je viens.

Mrs Hubbard quitta la pièce, cependant que Celia se coupait vivement une tartine.

Mrs Vanilos allait et venait dans sa chambre, comme un fauve dans sa cage avant l'heure du repas. A l'entrée de Mrs Hubbard, elle donna libre cours à son indignation.

— Qu'est-ce que j'apprends ? Vous avez appelé la police ? Sans me consulter ? Mais pour qui vous prenez-vous ?

— Je n'ai pas appelé la police.

— Vous mentez !

— Vous n'avez pas le droit de me parler comme ça, Mrs Vanilos.

— Vraiment ? Alors, c'est *moi* qui suis dans mon tort ? Comme toujours ! Tout ce que vous faites est toujours très bien ! Des policiers chez moi ! Dans un hôtel respectable !

— Ce ne serait pas la première fois ! dit simplement Mrs Hubbard. Vous ne vous souvenez pas de cet étudiant antillais qui était recherché pour vagabondage spécial et de ce jeune agitateur communiste qui se cachait chez vous sous un faux nom ? Il y a eu aussi...

— Vous osez me dire ça ! Est-ce ma faute, à moi, si les gens me mentent en se donnant pour ce qu'ils ne sont pas ? Comment avez-vous l'audace de me reprocher ça, alors que je suis la première à en souffrir ?

— Je ne vous le reproche pas ! Je vous fais simplement remarquer que ce ne serait pas la première fois que la police viendrait ici. Avec des pensionnaires qui arrivent de partout, c'est d'ailleurs à peu près inévitable ! Mais, je le répète, je n'ai pas « appelé la police ». J'ai seulement eu ici hier soir un invité, un célèbre détective privé, qui a fait à nos étudiants une petite conférence très intéressante sur la criminologie.

— Comme s'ils avaient besoin qu'on leur parle de ça ! Vous croyez que c'est un sujet qu'ils ne connaissent pas suffisamment ? Ils détruisent, ils sabotent, ils volent ! Et on ne fait rien !

— Justement, j'ai fait quelque chose.

— Vous avez mis un de vos amis au courant de mes affaires ! Vous avez trahi ma confiance, voilà ce que vous avez fait !

— Mais pas du tout ! Vous m'avez confié l'administration de cette maison. Je suis heureuse de pouvoir vous dire que la lumière est faite sur ces vols qui nous tourmentaient. Une de nos pensionnaires a avoué qu'ils avaient presque tous été commis par elle.

— La petite saleté ! Il faut la jeter dehors !

— Elle ne demande qu'à partir et elle indemnise ceux qu'elle a volés.

— Ça nous avance bien ! Maintenant, ma maison est perdue de réputation. Personne n'y viendra plus !

Mrs Vanilos s'effondra, en larmes, sur son canapé.

— Ici, reprit-elle entre deux sanglots, je ne compte plus ! La façon dont on me traite, c'est abominable ! On m'ignore ! On me tient à l'écart ! Je mourrais demain ça ne ferait de peine à personne !

Mrs Hubbard jugea qu'elle pouvait se retirer. Elle descendit à la cuisine, pour s'entretenir avec Maria du repas du soir. Cette courte conférence quotidienne mettait souvent sa patience à l'épreuve. Maria était plus renfermée et plus hargneuse que jamais.

— Je sais bien que c'est moi qu'on accusera ! Et aussi Geronimo, le *povero* ! Comment se faire rendre justice quand on n'est pas dans son pays ?... Non, je ne peux pas faire du *rizotto*, comme vous le demandez !... Le riz qu'on m'a livré n'est pas le bon. A la place, je ferai des spaghetti !

— Mais nous en avons eu hier soir !

— Qu'est-ce que ça fait ? Chez moi, on en mange tous les jours ! Les pâtes, c'est toujours bon.

— Mais vous êtes en Angleterre, maintenant !

— Bon ! Je vous le ferai, votre *stew* ! Vous ne l'aimerez pas, mais je vous le ferai ! Et je ferai bouillir les oignons dans l'eau, au lieu de les faire revenir dans l'huile ! Puisque c'est la mode ici...

Mrs Hubbard leva les yeux au ciel.

— Ah ! faites ce que vous voulez !

Et, furieuse, elle quitta la cuisine.

A six heures du soir, Mrs Hubbard était redevenue elle-même. Par de petites notes manuscrites laissées dans les chambres, elle avait prié chacun des pensionnaires de venir la voir avant le dîner. A tous, elle expliqua que Celia lui avait demandé d'arranger les choses et tous se montrèrent très compréhensifs. Même Geneviève, qui, adoucie par une évaluation très généreuse de son compact, déclara qu'elle n'en voulait pas du tout à Celia.

— Ce sont ses nerfs qui la travaillent, ajouta-t-elle de l'air de quelqu'un qui en sait long. Elle est riche et elle n'a pas besoin de voler. Seulement, dans sa tête, ça ne tourne pas rond. C'est ce que dit Mr Mac Nabb et, là-dessus, il a raison.

Len Bateson prit Mrs Hubbard à part, comme elle se rendait à la salle à manger.

— J'attendrai Celia dans le vestibule, lui dit-il, et j'entrerai avec elle. Comme ça, elle se rendra compte que tout va bien !

— C'est gentil à vous, Len.

— Non, Ma, c'est normal !

On servait le potage quand on entendit dans le vestibule la voix profonde de Len.

— Venez, Celia ! Vous n'avez ici que des amis.

Le nez dans son assiette, Nigel murmura :

— Il a fait sa B.A. du jour.

Il s'en tint, d'ailleurs, à cette seule rosserie et salua

Celia d'un geste aimable de la main, quand elle entra avec Len, de qui le bras reposait, protecteur, sur les épaules de la jeune fille.

Le dîner commença dans un brouhaha de conversations joyeuses et animées. De temps à autre, quelqu'un s'adressait à Celia. Un silence s'établit quand Mr Akibombo l'interpella par-dessus la table.

— Tout ce que je ne comprenais pas, lui dit-il avec un bon sourire, on me l'a expliqué. Vous êtes très forte pour voler ! Pendant longtemps, personne n'a deviné. Très bien ! Très fort !

Stupéfaite, Sally Finch sauva la situation. Elle s'écria :

— Cet Akibombo me fera mourir !

Et elle s'abandonna à un fou rire tel qu'elle dut, pour le vaincre, se retirer dans le vestibule. Tout le monde, alors, se mit à rire, bruyamment, sinon de façon très naturelle.

Colin Mac Nabb arriva en retard. Il semblait préoccupé et se montra moins communicatif encore qu'à l'habitude. Vers la fin du repas, alors que les autres n'avaient pas encore terminé, il se leva et dit :

— J'ai quelqu'un à voir et il faut que je m'en aille. Mais je veux que vous soyez les premiers à savoir... Celia et moi, nous espérons nous marier l'an prochain, quand j'aurai terminé mes études.

La nouvelle fut accueillie par des hurlements sauvages. Colin reçut, sans joie apparente, les félicitations de ses amis et s'esquiva gauchement. Celia avait rougi, mais elle restait très calme et très digne.

— Encore un brave type à la mer ! s'écria Len Bateson.

Patricia se tourna vers Celia.

— Je suis bien contente, Celia ! Et je vous souhaite tout le bonheur possible...

— Tout est bien qui finit bien, dit Nigel. Demain, nous apporterons du chianti et nous le boirons à votre santé. Pourquoi faites-vous cette tête, Jean ? Vous n'approuvez pas ce mariage ?

— Bien sûr que non, Nigel !

— C'est pourtant tellement mieux que l'union libre ! Quand ce ne serait que pour les enfants ! Sur les passeports, ça fait mieux.

— Peut-être, dit Geneviève. Seulement, il ne faut pas que la mariée soit trop jeune...

— Vous ne voudriez pas insinuer que Celia n'est pas d'âge à donner son consentement ? Elle est libre, blanche et majeure.

— Voilà une réflexion bien désobligeante !

La remarque était de Mr Chandra Lal. Patricia y répondit toute de suite.

— Ne croyez pas ça, Mr Chandra Lal ! C'est façon de parler. Une expression américaine... Ça ne veut rien dire !

— Je ne comprends pas, déclara gravement Mr Akibombo. Si une chose ne veut rien dire, pourquoi la dire ?

Ce fut Elizabeth Johnston qui répondit :

— Il y a, dit-elle, des choses qui ont l'air de ne rien vouloir dire et qui, pourtant, sont lourdes de sens. Ce n'est pas à cette expression américaine que je fais allusion. Je pense à autre chose...

Faisant du regard le tour de la table, elle ajouta :

— Je parle de ce qui s'est passé hier.

— De quoi s'agit-il, Bess ? demanda Valerie d'une voix pointue.

Celia intervint.

— Je vous en prie !... Je crois très sincèrement que, demain, tout s'expliquera ! J'en suis sûre. Il n'y aura plus de mystère. L'encre versée sur vos papiers,

Bess, cette sotte histoire du sac à dos... Si, comme je l'ai fait moi-même, la personne qui est coupable avoue, tout sera clair...

— Et, dit Valerie avec un petit rire, nous serons tous très heureux jusqu'à la fin des temps !

On se leva de table et on passa dans le living-room, où on se disputa le plaisir d'offrir son café à Celia. Quelqu'un mit l'appareil de radio en marche. Quelques pensionnaires sortirent pour se rendre à des rendez-vous ou pour aller travailler dans leur chambre. Finalement, ceux qui restaient gagnèrent leur lit.

Mrs Hubbard, en se glissant dans ses draps, s'avoua que la journée avait été rude.

« Mais, Dieu merci ! songeait-elle avec soulagement, maintenant, c'est fini ! »

CHAPITRE VII

Miss Lemon était la ponctualité même. Le brouillard, la tempête, les épidémies de grippe, les grèves des transports, rien ne réussissait jamais à la mettre en retard. Ce jour-là, pourtant, elle arriva chez Poirot, non pas à dix heures juste, mais cinq minutes plus tard. Elle s'excusa d'une voix haletante.

— Je suis navrée, monsieur Poirot, vraiment. J'allais sortir de chez moi quand ma sœur a téléphoné.

— Elle va bien et le moral est bon, oui ?

— A franchement parler, non.

Répondant à l'interrogation muette de Poirot, elle ajouta :

— Elle est très abattue. Une de ses pensionnaires s'est donné la mort.

Poirot marmonna quelques mots indistincts.

— Vous dites, monsieur Poirot ?

— Comment s'appelle cette pensionnaire ?

— Celia Austin.

— Quel genre de suicide ?

— On croit qu'elle a pris de la morphine.

— Il ne s'agit pas d'un accident ?

— Non. Il paraît qu'elle a laissé un mot...

— Je m'attendais bien à *quelque chose*, dit Poirot, se parlant à soi-même, mais pas à ça !

Il leva les yeux. Miss Lemon attendait, la pointe de son crayon déjà posée sur son bloc. Le détective secoua la tête.

— Non, Miss Lemon. Je ne vous dicterai rien ce matin. Voici le courrier ! Classez-le et voyez les lettres auxquelles vous pouvez répondre ! Moi, je vais faire un tour du côté de Hickory Road.

Ce fut Geronimo qui vint ouvrir à Poirot. Reconnaissant l'invité d'honneur de l'avant-veille, il prit une mine de conspirateur et se mit à parler, très bas, mais avec une volubilité très italienne.

— Ah ! *signor*, nous avons bien des ennuis ! La petite *signorina* est morte, ce matin, dans son lit. Le médecin est venu. Maintenant, il y a ici un inspecteur de police. Il est en haut, avec la *signora* et la *padrona*. Pourquoi a-t-elle décidé de se tuer, la *poverina* ? Hier soir, elle était si gaie, après les fiançailles !

— Les fiançailles ?

— *Si*, *signor*, avec Mr Colin... Vous savez, un grand brun, qui n'arrête pas de fumer la pipe ?

— Je vois...

Geronimo introduisit Poirot dans le living-room.

— Vous voulez bien rester ici *signor* ? Dès que le policier est parti, je dis à la *signora* que vous êtes ici. D'accord ?

— D'accord.

Laissé seul, Poirot, qui avait sur la délicatesse des idées très particulières, entreprit un minutieux examen de la pièce. Il accorda une attention toute spé-

ciale aux affaires appartenant aux pensionnaires,
mais elles ne lui apprirent pas grand-chose. Chacun
conservait dans sa chambre ses papiers personnels...

Au premier étage, cependant, Mrs Hubbard, assise
en face de l'inspecteur Sharpe, répondait aux questions que le policier lui posait, comme en s'excusant.
Grand, solidement bâti, Sharpe savait se montrer
très doux, très rassurant, quand les circonstances
semblaient l'exiger.

— Je me rends compte, Mrs Hubbard, que c'est
très ennuyeux pour vous, mais, comme le docteur
Coles vous l'a déjà dit, il y aura une enquête et il
faut bien que nous sachions comment les choses se
présentent. Voyons ! Cette jeune personne, vous me
dites que depuis quelque temps elle était malheureuse ?

— Oui.

— Chagrins d'amour ?

— Pas précisément.

Mrs Hubbard avait marqué une légère hésitation.
La voix de l'inspecteur se fit plus douce encore.

— Vous feriez mieux de ne rien me cacher,
Mrs Hubbard. Comme je viens de vous le dire, il
faut que nous sachions... Avait-elle, ou croyait-elle
avoir une raison de se tuer ? Elle n'était pas en-
ceinte ?

— Certainement pas ! Non, inspecteur, si j'ai paru
un peu réticente, c'est uniquement parce que la pauvre enfant avait commis quelques sottises dont j'es-
pérais qu'il ne serait pas nécessaire de faire état.

L'inspecteur Sharpe toussota.

— Nous sommes très discrets et le *coroner* est un
homme d'expérience. Mais il faut *que nous sachions* !

— Evidemment ! C'était ridicule de ma part. La
vérité, inspecteur, c'est que, depuis quelque temps,

depuis trois mois ou peut-être un peu plus, différentes choses ont disparu dans la maison. Des choses
sans importance, d'ailleurs...

— De petits objets ? De la lingerie, des bas de
nylon ? De l'argent, peut-être ?

— Non pas d'argent, que je sache !

— Et c'est cette petite qui ?...

— Oui.

— Vous l'aviez prise sur le fait ?

— Non, pas exactement. Avant-hier soir, nous
avons eu à dîner un de mes... amis, M. Hercule
Poirot. Vous avez peut-être entendu parler de lui ?

L'inspecteur Sharpe avait brusquement cessé de
prendre des notes. Un peu surpris, il regardait
Mrs Hubbard. Il se trouvait que le nom lui disait
quelque chose.

— M. Hercule Poirot ? dit-il. Tiens, tiens ! Très
intéressant.

— Après le repas, reprit Mrs Hubbard, M. Poirot
nous a fait une petite causerie sur la criminologie
et on a discuté de ces vols. Il m'a alors, devant tout
le monde, conseillé d'alerter la police.

— Ah ! oui ?

— Un peu plus tard, Celia est venue me trouver
dans ma chambre et elle a avoué. Elle était très
désemparée.

— Il était question de poursuites ?

— Non. Elle indemnisait tout le monde et personne ne voulait lui créer d'ennuis.

— Elle avait des besoins d'argent ?

— Non. Elle avait un emploi honnêtement rétribué au St. Catherine's Hospital et aussi, je crois,
quelques ressources personnelles. En fait, elle était
plus à l'aise que beaucoup de nos étudiants.

— Elle n'avait pas besoin de voler, mais elle volait pourtant !

Ce disant, Sharpe griffonna quelques mots sur son carnet.

— De la kleptomanie, sans doute ! dit Mrs Hubbard.

— Une étiquette assez hypocrite. Il reste qu'elle volait sans nécessité.

— Vous la jugez peut-être trop sévèrement. Il y avait un jeune homme dans l'affaire...

— Et c'est lui qui l'a dénoncée ?

— Oh ! pas du tout. Il a vigoureusement pris sa défense, au contraire. Et, hier soir, après le dîner, il nous avait annoncé leurs fiançailles !

Stupéfait, l'inspecteur Sharpe ne put s'empêcher de hausser les sourcils.

— Et, là-dessus, elle s'est mise au lit et elle a pris une dose mortelle de morphine ? C'est assez surprenant. Vous ne trouvez pas ?

— Si. Je n'y comprends rien !... Et, pourtant, c'est comme ça !

Sharpe regardait un petit morceau de papier, posé sur la table. C'était un message, ainsi conçu :

Chère Mrs Hubbard, je suis vraiment désolée et je fais ce que je dois faire.

— Ce n'est pas signé, mais vous êtes sûre que c'est son écriture ?

— Absolument.

Mrs Hubbard ne pouvait répondre autrement. Pourtant, il y avait dans ce billet quelque chose qui lui semblait bizarre. Mais quoi ?

— Il y a là, reprit Sharpe, une empreinte digitale qui est incontestablement d'elle. La morphine était dans un flacon portant l'étiquette du St. Catherine's Hospital. C'est là qu'elle travaillait et il est probable qu'elle avait accès à l'armoire aux poisons. On peut supposer que cette morphine elle l'a rapportée hier soir de l'hôpital, dans l'intention d'en finir avec la vie.

— Je n'arrive pas à le croire ! Elle paraissait si heureuse, hier soir !

— Il se peut que sa joie soit tombée quand elle s'est retrouvée seule. Peut-être y avait-il, dans son passé, des choses que vous ignorez, des choses dont elle craignait qu'elles ne vinssent à être connues. Ce jeune homme qu'elle aimait, comment se nomme-t-il ?

— Colin Mac Nabb. Il termine ses études de médecine au St. Catherine's.

— Elle l'aimait beaucoup ?

— Beaucoup. Plus, certainement qu'il ne l'aimait, lui. Il me semble être de ces gens qui songent surtout à eux-mêmes.

— C'est peut-être ce qui explique le drame. Elle ne se sentait pas digne de lui ou elle ne lui avait pas dit tout ce qu'elle aurait dû lui dire. Elle était très jeune, n'est-ce pas ?

— Vingt-trois ans.

— A cet âge-là, on a encore des illusions et on prend les affaires de cœur au sérieux. C'est pour cela que la pauvre petite s'est tuée, j'en ai peur !... Triste !

Se levant, il poursuivit :

— Nous serons, je le crains, obligés de donner les faits aux journaux, mais nous ferons tout le possible pour qu'ils ne soient pas « montés en épingle ». Merci encore, Mrs Hubbard ! J'ai maintenant tous les renseignements dont j'ai besoin. Elle avait perdu sa mère il y a deux ans, et il ne lui restait plus, à votre connaissance, qu'une vieille tante, qui vit dans le Yorkshire et avec laquelle nous nous mettrons en relation...

Il prit sur la table le billet griffonné par Celia d'une écriture désordonnée.

— Ce petit mot, dit soudain Mrs Hubbard, il a quelque chose... d'anormal !

— D'anormal ? En quel sens ?

— Je n'en sais rien... Et, pourtant, j'ai l'impression que je devrais le savoir.

— Il est bien de sa main ?

— Sûrement. Mais *ce n'est pas ça* !

Un moment, s'enfonçant les deux poings sur les yeux, Mrs Hubbard chercha. Elle renonça.

— Je suis idiote, ce matin !

L'inspecteur Sharpe protesta gentiment :

— Une épreuve comme celle-là est très fatigante, Mrs Hubbard ! Je ne veux pas vous importuner plus longtemps. Je m'en vais.

Il ouvrit la porte et faillit trébucher sur Geronimo. Il sourit.

— On écoute aux portes ?

Geronimo repoussa l'accusation d'une voix indignée :

— Oh ! non, *signor*, jamais !... J'apportais un message à la *signora*.

— Un message ? Quel message ?

— Je venais lui dire qu'il y a en bas un monsieur qui désire la voir.

— Parfait ! Allez lui dire...

L'inspecteur s'éloigna vers le fond du couloir, cependant que Geronimo entrait dans la pièce. Brusquement, Sharpe fit demi-tour et, à pas de loup, revint rapidement coller son oreille à la porte. Il arriva juste à temps pour entendre Geronimo qui disait :

— Le monsieur qui est venu dîner l'autre soir, le monsieur à la grosse moustache, est en bas. Il vous attend.

Mrs Hubbard répondit qu'elle allait descendre. L'inspecteur fila vers l'escalier. Ce monsieur à la grosse moustache, il le connaissait ! Ce ne pouvait être que Poirot. Il gagna le living-room.

— Bonjour, monsieur Poirot ! Il y a bien longtemps que nous ne nous sommes vus !

Poirot, agenouillé près de la cheminée, examinait un rayon qui courait à moins de vingt centimètres du plancher. Il se leva.

— Mais, ma parole, c'est l'inspecteur Sharpe !... Vous avez changé de division ?

— J'ai été muté il y a deux ans. Vous vous souvenez de l'affaire de Crays Hill ?

— Je pense bien !... Ce n'est pas d'hier ! Mais vous êtes toujours jeune, inspecteur...

— Je le suis moins qu'autrefois !

— Tandis que moi, maintenant, je suis vieux !... Hélas !

Poirot soupira.

— Vieux, monsieur Poirot, mais toujours actif, on dirait ?

— Qu'est-ce que vous voulez insinuer ?

— J'aimerais savoir, monsieur Poirot, *pourquoi* vous êtes venu ici, l'autre soir, faire une causerie sur la criminologie.

Poirot sourit.

— C'est tout simple ! Il se trouve que Mrs Hubbard est la sœur de Miss Lemon, ma précieuse secrétaire. Aussi, lorsque cette dame m'a demandé...

— Lorsqu'elle vous a demandé d'enquêter sur ce

qui se passait ici, vous vous êtes empressé d'accourir.
C'est bien ça ?

— C'est bien ça !

— Mais ce que je voudrais savoir, c'est en quoi
l'affaire pouvait vous intéresser !

— Que voulez-vous dire ?

— Une gosse, plus ou moins cinglée, qui commet
de petits vols sans importance, ça arrive tous les
jours ! Ce n'est pas une enquête pour vous, ça, monsieur Poirot !

Poirot secoua la tête.

— Les choses ne sont pas aussi simples que vous
le croyez !

— Ah !... Et en quoi ne sont-elles pas simples ?

Poirot s'assit dans un fauteuil et, d'un geste délicat
de la main, épousseta la poussière qui maculait les
genoux de son pantalon.

— Je voudrais bien le savoir ! dit-il sans détours.

Sharpe fronça le sourcil.

— Je ne comprends pas.

— Moi non plus ! Ces vols, je n'arrive pas à
saisir ce qu'ils signifient. Ils ne forment pas un tout
cohérent. Ils me font songer à des empreintes de
pas qui n'auraient pas, toutes, été laissées par la
même personne. J'en reconnais qui appartiennent,
indiscutablement, à une jeune fille, dont je dirai,
pour reprendre votre expression, qu'elle est — ou,
plutôt, qu'elle était — plus ou moins « cinglée ».
Mais il y en a d'autres, qui ne sont pas d'elle. On
aurait vraisemblablement voulu qu'on les prît pour
les siennes, qu'on les attribuât à Celia Austin, mais
ce n'est pas possible ! Je pense, notamment, à certains vols qui semblent inexplicables, parce que rien
ne les justifie, et à d'autres qui, ceux-là, laissent

deviner un calcul et révèlent une évidente méchanceté. Or Celia n'était pas méchante.

— C'était une kleptomane ?

— J'en doute.

— Une simple voleuse, alors ?

— Pas au sens où vous l'entendez. Pour moi, tous ces petits larcins, elle ne les a commis que pour attirer sur elle l'attention d'un certain jeune homme.

— Colin Mac Nabb ?

— Exactement. Elle l'adorait et il ne la voyait même pas. Alors, pour l'amener à s'occuper d'elle, elle a joué un rôle : celui d'une jeune fille que ses mauvais instincts mêmes rendent « intéressante ». La réussite a été totale. Il est tombé follement amoureux d'elle.

— Il est donc complètement idiot ?

— Pas du tout ! C'est un psychiatre très distingué.

L'inspecteur grimaça de façon très significative.

— Vous m'en direz tant !... Elle était forte, la fille !

— Etonnamment !

Rêveur, Poirot répéta le mot. L'inspecteur Sharpe dressa l'oreille.

— Pourquoi « étonnamment », monsieur Poirot ?

— Parce que je me demande si cette idée-là ne lui a pas été soufflée par quelqu'un.

— Dans quelle intention ?

— Est-ce que je sais ? Pour lui rendre service, peut-être ? Par intérêt ? Je ne sais pas...

— Et ce quelqu'un, vous voyez qui ce pourrait être ?

— Non... A moins que... Mais non...

— Notez, reprit Sharpe, que je ne comprends toujours pas. Si c'est par amour qu'elle a joué les kleptomanes et si celui qu'elle aimait a donné dans le panneau, pourquoi diable s'est-elle tuée ?

— Réponse : *elle n'aurait pas dû se tuer.*

Les deux hommes se regardèrent.

— Vous êtes sûr qu'il s'agit d'un suicide ? demanda Poirot.

— C'est l'évidence, monsieur Poirot. Il n'y a pas de raison de croire autre chose et...

L'inspecteur n'acheva pas sa phrase. Mrs Hubbard entrait dans la pièce. Elle était très rouge.

— J'ai trouvé ! s'écria-t-elle, avec l'accent du triomphe. Bonjour, monsieur Poirot ! J'ai trouvé, inspecteur ! Ça m'est revenu tout à coup ! Je parle de ce billet que Celia m'aurait laissé. Je sais, maintenant, pourquoi il me paraissait bizarre ! Celia ne l'a pas écrit au moment de mourir !

— Qu'est-ce qui vous fait dire ça, Mrs Hubbard ?

— L'encre. Il est écrit à l'encre ordinaire, à l'encre bleu-noir. Or, devant moi, hier matin, Celia a rempli son stylo avec de l'encre verte, prise dans l'encrier que vous voyez là-bas, sur ce rayon !

Sans un mot, l'inspecteur Sharpe sortit. Il revint un instant plus tard.

— Vous avez raison, Mrs Hubbard ! J'ai vérifié. Il n'y avait qu'un stylo dans la chambre de Miss Austin, celui qui était sur sa table de chevet, et il contient bien de l'encre verte. Voyons ce flacon...

Mrs Hubbard lui remit la bouteille d'encre, qui était presque vide, et lui raconta la scène qui avait eu lieu la veille, au petit déjeuner.

— Je suis sûre, conclut-elle, que ce billet est un fragment de la lettre que Celia m'avait écrite hier matin et que je n'ai pas ouverte.

— Cette lettre, qu'en avait-elle fait ? Vous ne vous en souvenez pas ?

Mrs Hubbard secoua la tête.

— Non. Je suis sortie de la pièce avant Celia et je suppose qu'elle l'aura laissé traîner quelque part et oubliée...

— Quelqu'un l'aura trouvée... ouverte...

Sharpe se tut.

— Vous vous rendez compte, reprit-il presque aussitôt, de ce que cela signifie ? Ce billet, j'aurais dû, moi aussi, le trouver suspect... Car, du papier, elle en avait dans sa chambre et, pour écrire quelques lignes d'adieu avant de se donner la mort, elle aurait certainement choisi une feuille de papier correcte. Donc, Mrs Hubbard, vous avez certainement raison. Quelqu'un a vu la possibilité de donner au début de cette lettre qui vous était adressée un sens tout différent de celui qu'elle avait, et cela à seule fin de faire croire à un suicide. Ce qui signifie que nous sommes en présence...

Ce fut Poirot qui acheva la phrase laissée en suspens par l'inspecteur.

— D'un meurtre, dit-il simplement.

CHAPITRE VIII

Bien que réprouvant personnellement l'habitude anglaise du *five o'clock tea*, parce qu'elle empêchait les gens d'attaquer dans les dispositions convenables le dîner, par lui considéré comme le moment suprême de la journée, Hercule Poirot savait offrir le thé.

L'inspecteur Sharpe avait dégusté en connaisseur un thé des Indes, très noir et très fort, accompagné de *crumpets* carrés, bien chauds et généreusement beurrés, et d'un cake excellent.

Confortablement installé dans un bon fauteuil, il vida sa troisième tasse et dit :

— J'espère, monsieur Poirot, que vous ne m'en voulez pas d'être venu vous importuner ? J'avais une heure à moi, avant le retour au bercail des pensionnaires de Mrs Hubbard. J'ai l'intention de les interroger tous, l'un après l'autre. Corvée fastidieuse, mais nécessaire. Mes clients de tout à l'heure, vous les avez vus l'autre soir et j'ai pensé que vous ne refuseriez pas de me donner quelques renseignements sur eux... Au moins, sur les étrangers.

— Vous croyez que, pour les étrangers, je suis bon juge ? Mais, dans le nombre, il n'y a pas de Belges !

— Pas de Bel... Vous voulez dire par-là que, comme vous êtes belge, quelle que soit leur nationalité, ce sont des étrangers, pour vous aussi ? A mon sens, ce n'est pas tout à fait exact. J'en sais peut-être plus long que vous sur les Hindous, mais vous avez, beaucoup plus que moi, pratiqué les Continentaux.

— Si quelqu'un peut vous donner des renseignements, répondit Poirot, c'est vraisemblablement Mrs Hubbard. Ces jeunes gens, elle vit avec eux depuis plusieurs mois, elle les connaît bien... et elle sait juger les hommes.

— C'est une femme remarquable et je compte beaucoup sur elle. Je verrai aussi la propriétaire. Elle était absente, ce matin. Il paraît qu'elle possède différents hôtels du même genre, ainsi que des clubs d'étudiants. Elle n'a pas l'air d'être très aimée.

— Vous êtes allé au St. Catherine's Hospital ? demanda Poirot.

— Oui. J'ai vu le chef du service pharmaceutique. Il m'a très aimablement reçu. La nouvelle l'a surpris et peiné.

— Que vous a-t-il dit de la petite ?

— Elle était dans le service depuis un peu plus d'un an et on l'aimait bien. D'après lui, elle était plutôt lente, mais très consciencieuse.

Après un silence, Sharpe ajouta :

— La morphine venait bien de là-bas.

— Ah !... Intéressant, mais assez curieux.

— C'était du tartrate de morphine. On le conservait à la pharmacie dans l'armoire aux poisons, sur le rayon du haut, celui où l'on range les drogues peu employées. Bien entendu, là-bas comme partout, la morphine est surtout administrée en injections hypodermiques et on a plus souvent recours à l'hypochlorure de morphine qu'au tartrate. Question de mode, d'après ce que j'ai compris. Quelques médecins donnent le ton, les autres suivent. Comme des moutons. Il ne m'a pas dit ça, naturellement. C'est mon impression personnelle. Il s'est contenté, lui, de me dire qu'il y avait, sur ce rayon, des médicaments autrefois très en vogue et qui n'ont pas figuré sur une ordonnance depuis des années.

— De sorte que l'absence d'un de ces flacons poussiéreux peut passer inaperçue pendant longtemps ?

— Exactement. On ne fait l'inventaire que de loin en loin, à intervalles réguliers d'ailleurs, et personne ne se souvient d'une ordonnance récente comportant l'utilisation de tartrate de morphine. Les trois employées de la pharmacie avaient les clés des armoires où sont rangés les poisons et les drogues dangereuses et, ces armoires, on ne les ouvre, en principe, que lorsqu'il en est besoin. En fait, dans les journées chargées, et elles sont la règle, pour simplifier le travail, on ne les ferme que le soir.

— Indépendamment de Celia, qui avait accès à ces armoires ?

— Les deux autres femmes qui travaillent dans le service. Mais elles n'ont rien à voir avec Hickory Road. La première est là depuis quatre ans. L'autre, entrée il y a quelques semaines seulement, vient d'un hôpital du Devon. Rien à leur reprocher, excellents renseignements. Viennent ensuite les trois pharmaciens, qui sont à St. Catherine's depuis des années. Avec eux, la liste est close. Il y a bien la vieille femme chargée de l'entretien des parquets. Elle vient tous les matins, de neuf à dix et elle aurait pu, en choisissant son moment, s'emparer d'une fiole ou d'une autre, mais elle travaille à St. Catherine's depuis on ne sait combien de temps et l'hypothèse est bien improbable. Pour le garçon de laboratoire, c'est la même chose. On ne saurait le soupçonner sans ridicule.

— Des personnes étrangères au service viennent-elles à la pharmacie ?

— Je pense bien ! Il y a celles qui passent par-là pour se rendre au bureau du chef de service, il y a les courtiers des grandes maisons de produits pharmaceutiques et, naturellement, les gens qui viennent bavarder, les amis ou amies de celui-ci ou de celle-là. Ce n'est pas courant, mais ça arrive !

— Celia a-t-elle reçu une visite ces jours derniers ? Sharpe consulta son calepin.

— La semaine dernière, le mardi, une certaine Patricia Lane est venue la voir. Elle venait lui demander de l'accompagner au cinéma quand elle quitterait l'hôpital.

— Elle est restée longtemps ?

— Cinq minutes seulement, et elle ne s'est pas approchée de l'armoire aux poisons. Elle a bavardé avec Celia et une autre fille, dans l'encoignure d'une fenêtre. On se souvient aussi d'une autre visite, qui remonte, celle-là, à une quinzaine de jours. Une fille de couleur, très intelligente, paraît-il, qui parlait parfaitement l'anglais et qui a posé toutes sortes de questions sur le travail et pris des notes.

— Elizabeth Johnston, très probablement, dit Poirot. Qu'est-ce qui l'intéressait plus particulièrement ?

— C'était un jour de consultations de nourrissons. Elle a demandé comment celles-ci étaient organisées et comment on soignait, chez les tout-petits, les affections de la peau.

Poirot acquiesça de la tête.

— Pas d'autre visite ?

— Autant qu'on s'en souvienne, non.

— Des médecins viennent à la pharmacie ?

Sharpe sourit.

— Tout le temps. Officiellement ou non. Pour se renseigner sur une formule, pour voir les médicaments du stock...

— Curieux.

— C'est ce que je me suis dit, mais il paraît que c'est normal. Quelquefois, ils demandent qu'on leur indique par quelle autre drogue remplacer telle drogue qui ne réussit pas à un de leurs malades. Quelquefois, ils viennent simplement faire un brin de causette. Ceux qu'on voit le plus souvent, ce sont des jeunes, qui réclament de l'aspirine pour soigner leur mal de crâne... et qui profitent de l'occasion, si cela se trouve, pour flirter un peu avec les demoiselles du service. Les hommes resteront toujours les hommes. Vous savez ce que c'est et on n'y peut rien !

— Si je me souviens bien, dit Poirot, certains pensionnaires de Hickory Road sont attachés à St. Catherine's. Il y a un grand roux... Bates ? Bateman ?

— Celui-là s'appelle Leonard Bateson. Il y a aussi un nommé Colin Mac Nabb et une jeune fille, Jean Tomlinson, qui travaille dans le service de la physiothérapie.

— J'imagine qu'ils se sont plus d'une fois rendus à la pharmacie ?

— Bien sûr. Et le plus grave, c'est que personne ne saurait dire quand, tellement on a l'habitude de les rencontrer dans les couloirs ! Tout le monde les connaît de vue et on ne les remarque plus. Jean

Tomlinson, d'ailleurs, serait au mieux avec un des pharmaciens...

Poirot poussa un soupir.

— Tout ça n'est pas simple !

— Comme vous dites ! s'écria Sharpe. La vérité, voyez-vous, c'est qu'une foule de gens pouvaient aller jeter un coup d'œil dans l'armoire aux poisons, dire : « Pourquoi diable vous encombrez-vous d'une telle réserve d'arsenic ? » ou n'importe quoi du même genre, et se retirer, sans attirer l'attention de personne.

Après un silence, Sharpe reprit :

— Nous pensons, monsieur Poirot, que quelqu'un a administré de la morphine à Celia Austin, puis placé dans sa chambre la fiole vide et un message, provenant d'une lettre déchirée, afin de faire croire à un suicide. Bien. Mais le mobile du crime, monsieur Poirot, le mobile ?

Poirot ne répondit pas.

— Ce matin, poursuivit Sharpe, vous m'avez laissé entendre qu'il ne serait pas impossible que quelqu'un eût soufflé à Celia l'idée de commettre des vols.

Poirot déclara, avec un peu d'embarras, qu'il ne s'agissait que d'une vague hypothèse.

— Je n'ai dit cela, ajouta-t-il, que parce qu'il me semble que Celia n'était pas assez intelligente pour imaginer ça toute seule.

— Alors, de qui l'idée viendrait-elle ?

— Je ne vois, à Hickory Road, que trois personnes qui pourraient l'avoir eue. D'abord, Leonard Bateson. Sachant l'intérêt extraordinaire que Colin porte aux « inadaptés », il aurait, à seule fin de lui monter un bateau, comme nous disons en français, suggéré à Celia de se faire kleptomane. Je l'imagine très bien lui indiquant ce qu'elle devait faire, mais non pas prolongeant la plaisanterie pendant des mois et des mois. A moins qu'il n'eût eu une raison de le faire... ou qu'il soit très différent de ce qu'il paraît être. Une possibilité dont il faut toujours tenir compte... Il y a, ensuite, Nigel Chapman. Avec la tournure d'esprit assez malicieuse que je lui connais, il aurait trouvé la chose très farce et je ne pense pas qu'aucun scrupule l'aurait retenu. Il est resté très « enfant terrible ». Il y a, enfin, Valerie Hobhouse. C'est une jeune femme très « moderne », qui doit avoir lu assez de bouquins de psychologie pour prévoir la réaction probable de Colin. Si elle aimait Colin, il se peut très bien qu'elle ait trouvé excellent de ridiculiser Colin...

Sharpe nota les trois noms sur son calepin.

— Merci, dit-il. Je me souviendrai de tout cela quand je les interrogerai. Au fait, *quid* des Hindous ? Est-ce que l'un d'eux n'est pas étudiant en médecine ?

— Celui-là, répondit Poirot, il ne songe qu'à la politique et il a la manie de la persécution. Celia ne l'intéressait en rien et elle ne l'aurait d'ailleurs pas écouté, s'il lui avait suggéré quoi que ce fût...

L'inspecteur Sharpe glissa son carnet dans sa poche.

— Vous ne voyez rien d'autre à me dire, monsieur Poirot ?

— Ma foi, non ! Je tiens cependant à ajouter que, personnellement, cette affaire m'intéresse. Cela ne vous ennuie pas ?

— Du tout ! Pourquoi voudriez-vous... ?

— Je ne suis qu'un amateur, mais je vous aiderai dans la mesure où je le pourrai. Pour moi, voyez-vous, votre ligne de conduite est tracée...

— Et qu'est-ce que je dois faire ?

Poirot soupira.

— La *conversation,* mon cher ami, pas autre chose ! Tous les assassins qu'il m'a été donné de rencontrer adoraient parler. Le silencieux tue rarement et, quand ça lui arrive, son crime est simple, violent, évident. Au contraire, le meurtrier qui se croit malin est si content de lui que, tôt ou tard, il bavarde et se trahit. Parlez aux gens, mon cher Sharpe, ne vous contentez pas de les interroger ! Demandez-leur comment ils voient les choses, dites-leur que leur avis vous sont précieux, que vous aimeriez... Mais, sapristi ! je ne voudrais pas avoir l'air de vous apprendre votre métier ! Je suis mieux placé que personne pour savoir ce que vous valez.

Sharpe sourit gentiment.

— Merci. Vous avez raison. L'amabilité paie, je m'en suis souvent aperçu.

Poirot lui rendit son sourire. Les deux hommes se comprenaient.

— En somme, reprit Sharpe, il n'en est pas un, ou une, qui ne soit un assassin possible ?

— C'est assez mon opinion, répondit Poirot, sans élever la voix. Prenez Bateson, par exemple. Il se met facilement en colère et il ne se contrôle plus. Valerie Hobhouse est intelligente et très capable de mettre sur pied une machination fort astucieuse. Nigel Chapman est un grand gosse qui manque de bon sens. La petite Française est de ces gens que je vois fort bien commettre un crime s'il doit leur rapporter suffisamment d'argent. Patricia Lane est du type « maternel », un modèle toujours dangereux. Sally Finch, l'Américaine, est gaie et heureuse de vivre, mais je la crois capable de jouer un rôle beaucoup mieux que d'autres. Jean Tomlinson est la douceur même et elle donne l'impression d'être franche et loyale. Mais nous avons tous connu des assassins

qui allaient à l'église, où ils donnaient l'exemple de
la piété et des vertus chrétiennes. Elizabeth Johnston,
l'Antillaise, est probablement le cerveau le plus remarquable de la maison. Seulement, chez elle, le
cœur ne vient qu'en second. C'est toujours inquiétant. Le jeune Africain ? Il peut avoir, pour tuer,
des mobiles que nous ne soupçonnerons jamais.
Quant à Colin Mac Nabb, sa spécialité, c'est la psychologie ou, mieux la psychiatrie. Des psychiatres, à
qui l'on pourrait dire : « Psychiatre, commence donc
par te soigner toi-même ! » Vous en connaissez autant que moi ! Ils ne manquent pas !

Sharpe se passa la main sur le front.

— Mon cher Poirot, la tête me tourne. Il n'y a
donc personne qui ne soit capable de tuer ?

— Je me le suis souvent demandé, dit Hercule
Poirot.

CHAPITRE IX

L'inspecteur Sharpe soupira, se renversa dans son fauteuil et s'épongea le front avec son mouchoir. Il s'était déjà entretenu avec une petite Française, indignée et larmoyante, avec un jeune Français, arrogant et secret, avec un solide Hollandais, qui l'avait regardé d'un très mauvais œil, et enfin avec un Egyptien, volubile et agressif. Il avait échangé quelques mots rapides avec deux Turcs et un Irakien, qui n'avaient manifestement pas compris ce qu'il leur disait. Aucun d'eux, il en était convaincu, n'était pour quoi que ce fût dans l'assassinat de Celia Austin, et ils ne savaient rien. Il les avait congédiés, avec des paroles rassurantes, et il s'apprêtait maintenant à faire de même avec Mr Akibombo.

Souriant de toutes ses dents blanches, le jeune Africain le regardait. Il y avait, dans ses yeux, comme une douceur enfantine et de la tristesse.

— Je voudrais vous rendre service, disait-il. Miss Celia était très gentille pour moi... Très gentille ! Une fois, elle m'avait donné une boîte de bonbons

qui venait d'Edimbourg... Des bonbons excellents que
je ne connaissais pas encore. Qu'elle soit morte
comme ça, c'est bien triste !... Peut-être a-t-elle été
tuée par des parents à elle, qui auraient entendu dire
qu'elle se conduisait mal ?

L'inspecteur Sharpe lui donna l'assurance que l'hypothèse ne pouvait être envisagée.

— Alors, reprit le jeune Africain d'un air sombre,
je ne vois pas ce qui a pu se passer. Personne ici ne
lui voulait du mal...

Il hésita une seconde, puis il ajouta :

— Si vous me donniez une mèche de ses cheveux,
ou quelques rognures d'ongles, je pourrais essayer de
trouver son assassin avec les méthodes de mon pays.
Elles ont fait leurs preuves...

— Je vous remercie, Mr Akibombo, mais je ne
crois pouvoir accepter votre offre. Nous sommes te-
nus de suivre certaines règles...

— Je comprends parfaitement. Ces méthodes ne
sont pas modernes et, même chez moi, les policiers
les ignorent et les abandonnent aux tribus qui vivent
dans la forêt. Les vôtres sont, j'en suis sûr, très supé-
rieures et beaucoup plus efficaces.

Mr Akibombo parti, l'inspecteur reçut Nigel Chapman. Celui-ci semblait tout disposé à diriger la conversation.

— Une affaire bien singulière, dit-il, c'est bien votre avis ? Notez que je me doutais que vous faisiez
fausse route quand vous déclariez qu'il s'agissait d'un
suicide. Je dois ajouter que je suis assez content,
maintenant, qu'elle ait chargé son stylo avec mon
encre verte. Cela, l'assassin ne pouvait pas le prévoir.
J'imagine que vous avez examiné les différents mobiles qui peuvent expliquer ce crime ?

Sharpe rappela au jeune homme que, dans les entretiens de ce genre, c'est le policier qui pose les questions.

— Bien sûr, bien sûr ! répondit Nigel. J'essayais simplement de déblayer le terrain pour gagner du temps. Mais je vois que nous devons nous en tenir à la routine ordinaire ! Soit ! Je m'appelle Nigel Chapman. Age : vingt-deux ans. Né à Nagasaki. Pas banal, hein ? Ce que mes parents pouvaient faire par-là à l'époque, je n'en ai pas la moindre idée. Je suppose qu'ils faisaient le tour du monde. Quoi qu'il en soit, je ne suis pas japonais pour autant. Je suis étudiant et je m'intéresse tout particulièrement à l'âge de bronze et à l'histoire médiévale. Ai-je oublié quelque chose ?

— L'adresse de votre famille ?

— Néant, cher monsieur. J'ai un paternel, mais nous sommes brouillés et son adresse n'est donc plus la mienne. On me joint au 26, Hickory Road, ou par l'intermédiaire de la Coutt Bank, agence de Leadenhall Street.

Il y avait dans l'attitude du jeune homme, une désinvolture qui n'allait pas sans quelque impertinence. Cette comédie, pour lui sans nouveauté, n'abusait pas l'inspecteur. Il savait ce qu'elle prétendait cacher. Nigel essayait de donner le change : il redoutait d'être interrogé sur des faits précis.

— Celia Austin, demanda Sharpe, vous la connaissiez bien ?

— Il ne m'est pas facile de vous répondre. Je la connaissais très bien, en ce sens que je la voyais tous les jours et que nous étions en excellents termes, mais, en réalité, je ne savais rien d'elle. Elle ne m'intéressait pas, je l'avoue, et je crois bien que je ne lui étais qu'à moitié sympathique.

— Pourquoi donc ?

— Surtout, j'imagine, parce qu'elle ne goûtait guère ma tournure d'esprit. Je n'ai pas le sérieux d'un Colin Mac Nabb, ni sa rudesse. Pour séduire les femmes, il n'est pas mauvais de les malmener un peu...

— Quand avez-vous vu Celia Austin pour la dernière fois ?

— Hier soir, au dîner. Nous avions décidé, vous le savez, de nous montrer très gentils pour elle. A la fin du repas, Colin s'est levé et, non sans embarras, nous a annoncé qu'ils étaient fiancés.

— Vous étiez encore à table ?

— Oui. Quand nous avons gagné le living-room, Colin ne nous a pas suivis. Il sortait...

— C'est dans le living-room que vous avez pris le café ?

— Si le breuvage en question mérite le nom de café, oui.

— Celia Austin en a bu ?

— Je crois. Je ne l'ai pas remarqué, mais c'est probable.

— Ce n'est pas vous, par hasard, qui lui auriez remis sa tasse de café ?

— Fichtre ! Savez-vous que vous dites ça avec un si drôle d'air que j'en viens à me demander si, effectivement, ce n'est pas moi qui lui ai mis sa tasse de café dans les mains, après y avoir, bien entendu, versé de la strychnine ou je ne sais quel autre poison violent ? C'est ce qu'on appelle, je crois, de la suggestion hypnotique. A vrai dire, Mr Sharpe, je ne me suis pas un instant approché de Celia et, franchement, je ne sais même pas si elle a pris du café ou non. J'ajouterai, que vous me croyiez ou non, que je n'étais pas amoureux de Celia et que l'annonce de ses fiançailles n'a éveillé en moi aucune idée homicide !

— Je n'insinue rien de tel, dit doucement Mr Sharpe. Ou je me trompe beaucoup, ou il ne s'agit pas d'un crime passionnel. Il reste que quelqu'un voulait se débarrasser de Celia. Pourquoi ?

— C'est la question que je me pose, inspecteur. Et la réponse m'échappe. Celia était de ces filles qu'on peut dire inoffensives. Un peu lente d'esprit, un peu embêtante, mais gentille et pas du tout de ces femmes qui se font assassiner !

— Avez-vous été surpris quand vous avez appris qu'elle s'était rendue coupable de toutes sortes de menus larçins ?

— Mon cher monsieur, vous m'auriez renversé d'une pichenette ! Ça lui ressemblait si peu !

— Ces vols, elle ne les aurait pas commis à votre instigation ?

Nigel regarda l'inspecteur d'un air stupéfait.

— A mon instigation ? Et pourquoi l'aurais-je incitée à voler ?

— Ce serait justement la question ! Il y a des gens qui ont de l'humour une conception très particulière.

— Je suis peut-être stupide, inspecteur, mais je n'ai jamais rien trouvé d'amusant à ces vols.

— Pour vous, une plaisanterie, c'est autre chose ?

— Sans doute. Je n'ai jamais cru qu'il s'agissait d'une plaisanterie. A mon avis, l'explication de ces vols était toute psychologique.

— Autrement dit, Celia Austin était kleptomane ?

— Je ne vois pas d'autre explication.

— Peut-être, Mr Chapman, parce que vous en savez moins long que moi sur la kleptomanie.

— C'est possible.

— Vous ne pensez pas qu'il se pourrait que quelqu'un eût poussé Miss Austin à voler à seule fin d'amener Mr Mac Nabb à... s'intéresser à elle ?

Une lueur malicieuse passa dans les prunelles de Nigel.

— Ça, inspecteur, c'est très vraisemblable ! Et, tel que je le connais, le brave Colin aurait marché comme un seul homme...

Après deux secondes de réflexion, il ajouta, comme à regret :

— Seulement, cette combinaison-là, Celia ne l'aurait pas acceptée. Elle était toquée de Colin et elle n'aurait jamais voulu le rendre ridicule.

— Autre chose, Mr Chapman. Cette encre répandue sur les papiers de Miss Johnston, qu'est-ce que vous en pensez ?

— Tout ce que je puis dire, inspecteur, c'est que, si vous croyez que c'est moi le coupable, vous vous trompez ! Les apparences sont contre moi, parce qu'il s'agit d'encre verte, mais c'est parce que le véritable coupable l'a voulu. Jalousie, simplement.

— Jalousie ?

— Ou envie, si vous préférez. Il y en a pas mal dans cette maison...

Le regard de l'inspecteur chercha celui de Nigel.

— Que voulez-vous dire par-là ?

Nigel se déroba.

— Rien... sinon que, lorsqu'un certain nombre de personnes vivent ensemble, les actes des uns et des autres manquent souvent d'élégance.

Len Bateson, avec qui Sharpe s'entretint ensuite, était moins à l'aise encore que Chapman, mais sa gêne se traduisait de façon tout autre. Il se tenait sur une réserve prudente avec des réactions assez vives.

— Soit ! dit-il brusquement, quand on en vint aux

questions sérieuses. C'est *moi* qui ai servi son café à Celia, moi aussi qui lui ai porté sa tasse. Et après ?

— Vous me dites bien, Mr Bateson, que c'est vous qui avez versé à Miss Austin le café qu'elle a bu, hier, après le dîner ?

— Oui. J'ai empli sa tasse et je l'ai posée à côté d'elle. Croyez-le ou ne le croyez pas, il n'y avait pas de morphine dedans !

— Ce café, vous l'avez vue le boire ?

— Non. Nous étions plusieurs à circuler dans la pièce et, en fait, je n'ai pas vu Celia boire son café. Il y avait plusieurs personnes autour d'elle.

— Ce qui revient à dire que, d'après vous, *n'importe laquelle* de ces personnes aurait pu mettre de la morphine dans sa tasse ?

— Essayez donc de faire ça ! Tout le monde vous verra !

— Pas nécessairement.

Len haussa le ton.

— Mais pourquoi diable aurais-je voulu empoisonner cette enfant ? Je n'avais rien contre elle.

— Je n'ai pas dit que vous aviez voulu l'empoisonner.

— Il s'agit d'un suicide. Il n'y a pas d'autre explication.

— Je le croirais s'il n'y avait pas ce billet maquillé qu'elle a laissé...

— Maquillé ? Il est de sa main, non ?

— Il est de sa main, mais, originairement, il faisait partie d'une lettre qu'elle avait écrite, très tôt dans la matinée.

— Pourquoi n'aurait-elle pas elle-même transformé un morceau de cette lettre en...

— Soyons sérieux, Mr Bateson ! Quand on veut se suicider et laisser un billet d'adieu, ce billet, on l'écrit ! On ne le prélève pas sur une lettre qu'on voulait faire parvenir à quelqu'un.

— Ça peut arriver. Il y a des gens bizarres.

— Alors, où est le reste de la lettre ?

— Comment voulez-vous que je le sache ? Trouvez-le ! C'est votre travail, pas le mien !

— Je ne l'ignore pas, Mr Bateson. Mais sans doute auriez-vous intérêt à répondre poliment à mes questions...

— Que voulez-vous savoir ? Cette petite, je ne l'ai pas tuée et je n'avais aucune raison de la tuer.

— Elle vous était sympathique ?

Len Bateson s'adoucit.

— Je l'aimais bien. C'était une bonne gosse. Pas très intelligente, mais gentille.

— Quand elle vous avoua avoir commis les vols qui intriguaient tout le monde depuis quelque temps, vous l'avez crue ?

— Oui, mais ça m'a paru curieux.

— Vous ne la croyiez pas capable de ça ?

— Sincèrement, non.

Moins acerbe, maintenant qu'il n'avait plus l'impression d'être accusé et qu'il s'agissait d'un problème qui manifestement l'intriguait, Leonard ajouta :

— Elle ne me paraissait être ni une kleptomane, ni une simple voleuse.

— Et vous ne voyez pas, à ses vols, une autre explication possible ?

— Vous en connaissez une ?

— Elle pourrait ne les avoir commis que pour attirer l'attention de Mr Colin Mac Nabb.

— Bien aléatoire, vous ne croyez pas ?

— Peut-être. Mais Mr Mac Nabb a fini par s'occuper d'elle...

— C'est exact. Quand un cerveau ne tourne pas rond, il passionne Colin.

— Vous voyez ! Que Celia Austin ait été au courant de ça...

. Len secoua la tête.

— Là, vous vous trompez ! Jamais Celia n'aurait été capable d'un tel calcul. Pour dresser un tel plan de campagne, il fallait savoir des choses qu'elle ignorait.

— Mais que vous savez, *vous* ?

— Que voulez-vous dire ?

— Simplement que, pour rendre service à Miss Austin, vous auriez pu lui indiquer comment manœuvrer.

Len eut un petit rire.

— Vous croyez ça ? Ce n'est pas possible, vous êtes fou !

L'inspecteur ne releva pas l'insolence et passa à autre chose.

— Pensez-vous que c'est Celia Austin qui a versé de l'encre sur les papiers de Miss Johnston ou croyez-vous que c'est quelqu'un d'autre ?

— Pour moi, c'est quelqu'un d'autre. Celia m'a dit que ce n'était pas elle et je l'ai crue. Celia n'avait jamais eu à se plaindre de Bess. D'autres, au contraire...

— A se plaindre ? A quel propos ?

— Bess est quelquefois terriblement vexante. Que quelqu'un hasarde une opinion un peu aventurée et, sans hésitation, l'interpellant d'un bout à l'autre de la table, elle lui dira d'une voix brève : « J'ai bien peur que vous ne soyez en contradiction avec les faits. Les statistiques prouvent... etc., etc. » A la longue, c'est exaspérant ! Nigel Chapman, qui parle souvent à tort et à travers, en sait quelque chose...

— Nigel Chapman ? Ce serait lui le coupable ?

— C'est à tout le moins, une possibilité. Il est assez rancunier et, de plus, il n'aime pas les gens qui n'ont pas la peau blanche.

— Les mises au point de Miss Johnston ont-elles agacé d'autres personnes encore ?

— Colin Mac Nabb les supportait assez mal et, une fois ou deux, Jean Tomlinson a protesté avec énergie...

Après quelques dernières questions, qui ne devaient rien lui apprendre, Sharpe rendit sa liberté à Len Bateson et fit entrer Valerie Hobhouse.

Elégante, réservée, gardant ses distances, Valerie Hobhouse montrait beaucoup moins de nervosité que les hommes qui l'avaient précédée. Elle dit qu'elle aimait bien Celia, que celle-ci n'était pas d'esprit particulièrement vif et qu'il y avait quelque chose de touchant dans son adoration pour Colin Mac Nabb.

— Croyez-vous, Miss Hobhouse, qu'elle était kleptomane ?

— Je le pense, mais c'est un sujet dont, à vrai dire, je ne sais rien.

— Aurait-elle pu commettre ses vols à l'instigation de quelqu'un ?

Valerie haussa les épaules.

— Afin d'attirer l'attention de cet âne prétentieux de Colin ? C'est ce que vous voulez dire ?

— Vous saisissez vite, Miss Hobhouse. C'est bien là ma pensée. Ce n'est pas vous, par hasard, qui l'auriez poussée à faire ce qu'elle a fait ?

Elle sourit, amusée.

— Moi ? Vous oubliez, mon cher monsieur, qu'elle a mis en morceaux une écharpe à laquelle je tenais beaucoup !

— Le conseil de voler, quelqu'un d'autre aurait-il pu le lui donner ?

— J'en doute. Elle volait... parce que c'était dans sa nature.

— C'était dans sa nature ?

— J'ai commencé à la soupçonner quand le soulier de bal de Sally a disparu. Celia était jalouse de Sally Finch, qui est de loin la plus jolie fille qu'il y ait ici. Colin s'occupait beaucoup d'elle... et la pauvre Sally était bien mortifiée, ce soir-là, d'être obligée de sortir avec de vieilles chaussures noires. Celia, cependant, avait l'air d'une chatte buvant du lait. J'ajoute que je n'aurais jamais pensé que c'était elle qui avait volé le bracelet et le compact...

— Pourquoi ?

— Je n'en sais rien. J'aurais plutôt soupçonné une les femmes de ménage.

— Et pour le sac à dos qui a été lacéré ?

— Je l'oubliais. Ça, c'est inexplicable !

— Il y a longtemps que vous êtes ici, Miss Hobhouse ?

— Oui. Je dois être la plus ancienne pensionnaire de la maison. Je suis ici depuis deux ans et demi.

— Vous connaissez donc l'endroit mieux que quiconque ?

— Je le croirais volontiers.

— Que pensez-vous de la mort de Celia Austin ? Avez-vous une idée sur le mobile du crime ?

Le visage de Valerie devint grave.

— Aucune, dit-elle. C'est horrible ! Je ne vois pas qui peut avoir voulu la mort de Celia. Elle était gentille, bien inoffensive au fond, elle venait de se fiancer et...

Valerie n'achevait pas sa phrase. Sharpe la pressa de poursuivre.

— Eh bien ! reprit-elle, je me demande si ce n'est pas justement parce qu'elle venait de se fiancer qu'on l'a tuée. Parce qu'elle allait être heureuse... Seulement, cela suppose que l'assassin est fou !

Elle avait dit le dernier mot d'une voix tremblante. L'inspecteur la regarda, songeur, puis il dit :

— La folie n'est pas exclue... Croyez-vous que c'est Celia Austin qui a versé de l'encre sur les papiers d'Elizabeth Johnston ?

— Non. Jamais elle n'aurait fait ça !

— Alors, qui ? Vous avez une idée ?

— Raisonnable, non.

— Et... déraisonnable ?

— Je *crois* quelque chose... Une simple intuition... Ça ne peut pas vous intéresser !

— Pourquoi non, si je la considère comme telle ? Je vous écoute.

— Je me trompe sans doute, mais j'ai idée que la coupable, c'est Patricia Lane.

— Vous m'étonnez, car ce n'est certainement pas à elle que j'aurais pensé ! Patricia Lane me paraît une jeune fille fort aimable et très équilibrée.

— Je ne l'accuse pas. Je dis simplement que ce pourrait être elle.

— Mais pourquoi ?

— Patricia déteste Black Bess, parce que celle-ci a plus d'une fois démontré à Nigel qu'il parlait de choses qu'il connaissait mal ou pas du tout. Quand on touche à son cher Nigel, Patricia ne se connaît plus.

— Vous ne croyez pas que Nigel aurait pu lui-même...

— Certainement pas ! Lui, il s'en fiche. Et, de plus, il ne se serait pas servi de son encre verte ! Il est bien trop intelligent. Patricia, qui n'est qu'une sotte, aurait, elle, très bien pu prendre cette encre, sans penser une seconde que les soupçons porteraient automatiquement sur son cher Nigel.

— Pourquoi le coupable ne serait-il pas quelqu'un qui n'aime pas Nigel et qui, justement, désirait l'incriminer ?

— C'est une autre possibilité.

— Voyez-vous quelqu'un à qui Nigel n'est pas particulièrement sympathique ?

— Jean Tomlinson, d'abord. Et puis Len Bateson, avec qui il se dispute sans arrêt...

— Sur la façon dont Miss Austin a été empoisonnée, avez-vous une idée, Miss Hobhouse ?

— J'y ai longuement réfléchi. Je suppose que c'est dans son café qu'on a mis la morphine. Nous étions tous dans le living-room, allant et venant, comme toujours après le dîner. La tasse de Celia était sur une petite table, à côté d'elle, et elle attendait toujours qu'il fût froid pour boire son café. A condition de posséder le sang-froid nécessaire, n'importe qui, je crois, pouvait laisser tomber une pilule de poison dans la tasse de Celia. Mais l'entreprise comportait des risques. On pouvait facilement être vu.

— Il ne s'agissait pas d'une pilule.

— Ah ! C'était de la poudre, alors ?

— Oui.

Valerie fronça le sourcil.

— Cela devait compliquer les choses, n'est-ce pas ?

— Le poison ne pouvait être administré que dans cette tasse de café ?

— Quelquefois, avant de monter se coucher, Celia prenait un verre de lait chaud, mais il ne me semble pas qu'elle en ait pris un hier.

— Pouvez-vous me dire exactement comment s'est passée la soirée dans le living-room ?

— Comme je vous l'ai dit, nous étions tous là, à bavarder. Quelqu'un a mis la radio en marche. La plupart des garçons, il me semble, sont sortis. Celia s'est retirée de bonne heure, de même que Jean Tomlinson. Sally et moi, nous avons veillé assez tard. Je faisais du courrier, Sally travaillait sur ses notes. Je crois qu'elle a été la dernière à monter.

— Bref, une soirée comme les autres ?

— Exactement, inspecteur.

— Je vous remercie, Miss Hobhouse. Voulez-vous m'envoyer Miss Lane ?

Patricia Lane répondit avec bonne grâce aux premières questions de l'inspecteur et déclara que c'était très certainement Celia qui avait versé de l'encre sur les papiers d'Elizabeth Johnston.

— Vous savez, Miss Lane, qu'elle s'en est vigoureusement défendue ?

— Naturellement ! Que pouvait-elle faire d'autre ? C'était un acte dont elle avait honte. Mais il va avec le reste...

— Si je vous disais, Miss Lane, que, dans cette affaire, tout me paraît étrange ?

Patricia rougit.

— Vous pensez sans doute que c'est Nigel qui a saccagé les notes de Bess ? Parce qu'on s'est servi d'encre verte ; mais ça ne tient pas debout ! D'abord, parce que Nigel n'aurait pas été assez bête pour ne pas prendre une autre encre que la sienne, et, ensuite et surtout, parce qu'il n'aurait jamais fait ça !

— Je crois savoir qu'il ne s'est pas toujours bien entendu avec Miss Johnston ?

— Elle a eu l'air, à deux ou trois reprises, de lui

faire la leçon, mais il ne lui en a jamais vraiment voulu. Il est au-dessus de ça !

S'animant, elle poursuivit :

— A propos de Nigel Chapman, inspecteur, il y a quelques petites choses que je voudrais vous dire. Nigel, voyez-vous, n'a qu'un véritable ennemi, et c'est lui-même. Je suis la première à reconnaître qu'il n'est pas toujours commode et que ses manières lui font du tort. Il est brutal, volontiers ironique et toujours prêt à se moquer des gens, ce qui n'est pas pour lui conquérir des amis. Mais, en réalité, il est bien différent de ce qu'il paraît être. C'est un timide, qui voudrait se faire aimer et qui, si surprenant que cela puisse sembler, se trouve toujours dire et faire le contraire de ce qu'il souhaiterait !

— Pas de chance, vraiment !

— Je vous l'accorde, mais il n'y peut rien. Cela vient de ce qu'il a eu une enfance malheureuse. Son père était très dur, très sévère, et il ne l'a jamais compris. Après la mort de sa mère, Nigel a fui la maison pour n'y plus revenir. Il avait eu une dispute terrible avec son père, lequel lui a dit qu'il n'avait plus à compter sur lui et qu'il ne l'aiderait en aucune façon. Nigel, d'ailleurs, n'accepterait rien de lui. Sa mère lui a laissé un peu d'argent et il n'a jamais revu son père, à qui il n'écrit pas. Sans doute, tout cela est assez triste, mais il est certain que le père de Nigel est un homme impossible. Quant à Nigel, on ne peut s'étonner qu'il soit amer et d'un commerce difficile. Depuis la mort de sa mère, personne ne s'est occupé de lui. Il est très intelligent, mais sa santé n'est pas des meilleures. Il ne lutte pas avec les autres à armes égales et l'homme qu'il est véritablement, nul ne peut le savoir !

Patricia Lane se tut. L'inspecteur Sharpe la regardait pensivement. Des Patricia Lane, il en avait déjà rencontré. Elle aimait Nigel, qui ne se souciait vraisemblablement pas d'elle, mais qui acceptait de se laisser dorloter. Son père devait être un type sans intérêt et la mère avait dû gâter l'enfant, comme une sotte qu'elle était sans doute. Nigel avait-il été sensible au charme de Celia Austin ? C'était peu probable, mais pourtant possible. Dans cette hypothèse, on pourrait supposer que Patricia Lane avait été durement touchée. Assez pour souhaiter la mort de Celia ? Sûrement pas. D'ailleurs, l'annonce des fiançailles de Celia avec Colin Mac Nabb l'aurait rassurée. Elle n'avait aucune raison de tuer Celia...

Sharpe remercia Patricia Lane et fit introduire Jean Tomlinson.

CHAPITRE X

Miss Tomlinson était, à vingt-sept ans, une jeune femme d'aspect sévère. Des cheveux blonds, des traits réguliers, mais la bouche pincée. Elle s'assit et prit un ton affecté pour demander à Sharpe ce qu'il attendait d'elle.

— A vrai dire, répondit l'inspecteur, je n'en sais rien. Peut-être n'avez-vous rien à m'apprendre sur cette tragique affaire...

— Elle est, en tout cas, fort désobligeante. Elle l'était déjà quand nous pensions qu'il s'agissait d'un suicide, mais maintenant qu'on a l'air de croire que ce pourrait être un meurtre...

Elle n'acheva pas sa phrase et secoua la tête avec tristesse.

— Nous sommes à peu près sûrs que Celia ne s'est pas empoisonnée. Vous savez d'où provenait le poison ?

— Du St. Catherine's Hospital, à ce qu'il paraît.

C'était là qu'elle travaillait... et cela semble bien indiquer qu'il n'y a pas eu meurtre, mais suicide.

— C'est très certainement *ce qu'on a voulu faire croire.*

— Mais, Celia exceptée, qui pouvait mettre la main sur ce poison ?

— Des tas de gens, à condition de le vouloir. Et même vous, Miss Tomlinson ! Il aurait suffi que ce fût votre idée...

— Vraiment, inspecteur, une telle supposition...

Sous le coup de l'indignation, la voix de Jean Tomlinson grimpait à l'aigu.

— Je ne crois pas me tromper, Miss Tomlinson, en disant qu'il vous est souvent arrivé de vous rendre à la pharmacie de l'hôpital ?

— J'y suis allée pour voir Mildred Carey, c'est exact, mais jamais l'idée ne m'a seulement effleurée de toucher à ce qui se trouve dans l'armoire aux poisons.

— Mais vous auriez pu le faire ?

— Certainement pas !

— Voyons, Miss Tomlinson ! Votre amie est occupée, vous êtes seule dans la pièce, ne me dites pas que vous n'auriez pas pu vous approcher de l'armoire et subtiliser quelque fiole de poison sans être vue !

— Vos propos, inspecteur, me sont très désagréables. C'est là une accusation fort déplaisante !

— Mais je ne vous accuse pas, Miss Tomlinson ! Vous ne me comprenez pas. Vous me dites que vous n'auriez pu toucher à l'armoire aux poisons. J'essaie de vous montrer que vous auriez parfaitement pu, que ce vous était *possible*. C'est tout ! Je n'accuse pas et je n'insinue rien.

— D'ailleurs, vous n'avez pas l'air de vous en douter, inspecteur, j'étais l'amie de Celia.

— Bien des gens ont été empoisonnés par leur meilleur ami !

— Je vous l'accorde, mais Celia et moi, nous nous entendions très bien. Je l'aimais beaucoup.

— Avant que cela ne fût découvert, aviez-vous eu quelque raison de supposer qu'elle était responsable des vols commis dans cette maison ?

— Pas la moindre ! Jamais je n'ai été plus surprise que ce jour-là. Jamais je n'aurais cru Celia capable d'un acte malhonnête...

— Les kleptomanes, il est vrai, sont poussés par une force contre laquelle ils ne peuvent rien...

Sharpe guettait la réaction de la jeune femme. Elle fut celle qu'il attendait.

— Je ne saurais dire, inspecteur, que je partage cette façon de voir. J'ai peut-être des idées de l'ancien temps, mais, pour moi, voler c'est voler !

— Vous pensez donc que Celia volait... simplement parce qu'elle était malhonnête ?

— J'en ai peur.

— Triste.

— Oui. On a toujours de la peine quand quelqu'un vous déçoit.

— Si je suis bien informé, on s'est, à un certain moment, demandé si l'on alerterait la police ou non ?

— Oui. On ne l'a pas fait et, à mon sens, on a eu tort. Admettre de telles excuses, je considère que c'est une erreur...

— Vous voulez dire qu'un voleur doit être traité comme tel, même s'il se dit kleptomane ?

— C'est assez ça !

— Alors que, dans le cas qui nous occupe, tout

finissait le mieux du monde, les cloches s'apprêtant à sonner pour le mariage de Miss Austin ?

Jean Tomlinson sourit.

— Avec Colin Mac Nabb, il faut s'attendre à tout ! C'est un athée, j'en suis sûre. Il se moque de tout le monde, il est désagréable, brutal et, pour moi, *communiste*, par-dessus le marché !

— Fâcheux.

Sharpe hocha la tête.

— S'il a pris la défense de Celia, poursuivit la jeune femme, c'est, je crois, parce qu'il a sur la propriété des idées détestables. Pour lui, ce dont on a envie, on le prend.

— Quoi qu'il en soit, Miss Austin a avoué.

— Après avoir été démasquée, oui, elle a avoué.

— Démasquée par qui ?

— Par ce monsieur qui est venu ici... Poirot, je crois ?

— Qu'est-ce qui vous fait dire ça, Miss Tomlinson ? Il s'est contenté de conseiller d'appeler la police.

— Il avait dû lui donner à entendre qu'il savait tout. Comprenant qu'elle était découverte, elle s'est empressée de tout avouer.

— *Quid* de l'encre renversée sur les papiers de Miss Johnston ? A-t-elle reconnu que, là encore, elle était coupable ?

— Je l'ignore, mais je le crois.

— En ce cas, vous vous trompez ! Elle s'est vivement défendue d'être pour rien là-dedans.

— Peut-être disait-elle vrai. C'est un méfait que je ne lui aurais pas imputé...

— Vous auriez plutôt songé à Nigel Chapman ?

— Non, mais à Mr Akibombo.

— Ah !... Et quel sentiment l'avait poussé ?

— La jalousie. Ces gens de couleur se jalousent terriblement et ils sont très impulsifs.

— Ce que vous dites là est fort intéressant, Miss Tomlinson. Quand avez-vous vu Celia Austin pour la dernière fois ?

— Vendredi soir, après le dîner.

— De vous deux, qui s'est retirée la première ? Vous ou elle ?

— Moi.

— Après avoir quitté le living-room, vous n'êtes pas allée la voir dans sa chambre ?

— Non.

— Et vous n'avez aucune idée de la façon dont la morphine a pu être mise dans son café... si c'est ainsi que le poison lui a été administré ?

— Aucune.

— Avez-vous jamais vu de la morphine dans la maison, ici ou là ?

— Non... Enfin, je ne crois pas.

— Vous ne croyez pas ? Vous n'êtes pas sûre ?

— C'est à cause de ce pari idiot...

— De quel pari parlez-vous ?

— Un pari qui avait suivi une discussion entre deux ou trois garçons...

— Une discussion portant sur quoi ?

— Sur l'assassinat par le poison.

— Et qui y avait pris part ?

— Colin et Nigel, d'abord, puis Len Bateson... Patricia était là, elle aussi.

— Cette discussion, pourriez-vous me dire, aussi exactement que possible, ce qu'elle fut ?

Jean Tomlinson s'accorda un instant de réflexion.

— Autant que je m'en souvienne, dit-elle, ils avaient commencé par parler des crimes commis par le poison et on avait prétendu que la difficulté était de se procurer le poison et que, généralement, on trouvait l'assassin en recherchant qui lui avait vendu la drogue, ou les facilités qu'avait tel ou tel suspect pour en obtenir. Là-dessus Nigel déclara que c'étaient là des balivernes et qu'il connaissait au moins trois façons différentes de mettre la main sur du poison, sans que personne pût deviner comment. Len Bateson lui ayant dit qu'il divaguait, Nigel répliqua qu'il était prêt à faire la preuve de ce qu'il avançait. Pat, naturellement, lui donna raison. Elle dit que Len et Colin pouvaient dans un hôpital se procurer tout le poison dont ils avaient envie, et qu'il en allait de même pour Celia. Nigel protesta que ce n'était pas cela qu'il avait voulu dire, ajoutant que si Celia, par exemple, subtilisait à la pharmacie une fiole de poison, cette disparition finirait tôt ou tard par être remarquée. Pat ergota : on pouvait prendre un flacon, le vider et remplacer le liquide manquant par un autre. Nigel répliqua que la discussion s'égarait, qu'il ne parlait pas de quelqu'un ayant, à un titre quelconque, accès à quelque armoire aux poisons et qu'il affirmait que, bien que n'étant ni médecin ni pharmacien, il se faisait fort d'entrer en possession de trois poisons différents par trois méthodes différentes. Len Bateson lui demanda lesquelles. « Je ne les dirai pas, répondit Nigel, mais je suis prêt à parier que, dans un délai de trois semaines, j'apporterai ici des échantillons de trois poisons mortels. » Là-dessus, Len Bateson déclara qu'il parierait volontiers cinq livres que, ces échantillons, on ne les verrait jamais.

— Et alors ?

— Ma foi, les choses en restèrent là, je crois bien. Et puis, un beau soir, Nigel entra dans le living-room en disant : « Comme vous pouvez le constater,

les gars, je tiens parole ! » Il vida ses poches : il
avait un tube de comprimés d'hyosciamine, un petit
flacon de digitaline et un autre contenant du tartrate
de morphine en poudre.

— Ce dernier flacon portait une étiquette ?

— Oui. Il provenait du St. Catherine's Hospital.
Je m'en souviens, parce que, naturellement, cette
étiquette m'a tiré l'œil.

— D'où venait le reste ?

— Je l'ignore.

— Que s'est-il passé ensuite ?

— On a bavardé et plaisanté. Len Bateson a fait
observer à Nigel que sa culpabilité serait vite établie
s'il venait à utiliser l'un quelconque de ces poisons
pour tuer quelqu'un. « Erreur, répondit Nigel. Je
suis un vulgaire civil, moi. Je ne suis pas en relation
avec les cliniques et les hôpitaux. On ne penserait
pas à moi et on ne me trouverait pas, car ces poisons, je ne les ai pas achetés. » Colin Mac Nabb
retira sa pipe de sa bouche pour dire qu'il n'en
doutait pas, pour la bonne raison que pas un pharmacien ne lui aurait délivré sans ordonnance des
drogues si dangereuses. Pour finir, Len Bateson re-
connut qu'il avait perdu son pari et annonça qu'il
paierait, demandant seulement que Nigel lui fît cré-
dit quelque temps, attendu qu'il était fauché. Restait
à savoir comment on allait se débarrasser de ces
poisons encombrants. On jeta les comprimés d'hyosciamine et la poudre de tartrate de morphine dans
le feu. Quant à la teinture de digitale, on la vida
dans les cabinets.

— Que sont devenus les flacons ?

— Je n'en sais rien. Je suppose qu'on les aura
jetés...

— Les poisons ont bien été détruits ?

— Sans aucun doute. J'étais présente.

— Et... quand tout cela s'est-il passé ?

— Il y a tout juste quinze jours, si je me souviens bien.

— Je vous remercie, Miss Tomlinson.

Jean se dirigea à regret vers la porte. Visiblement, elle avait espéré mieux.

— Ce que je vous ai dit, c'est important ?

— Peut-être, répondit Sharpe. On ne sait jamais.

La jeune femme sortie, l'inspecteur réfléchit quelques instants, puis il fit revenir Nigel Chapman.

— Miss Tomlinson, lui dit-il, vient de me raconter des choses qui ne sont pas dépourvues d'intérêt.

— Et à qui cette chère Jean a-t-elle décoché ses flèches empoisonnées ? A moi ?

— Le fait est, Mr Chapman, que nous avons parlé de poisons... et que vous étiez en cause.

— Moi ?

— Vous avez bien, il y a peu, fait un pari avec Mr Bateson...

Le visage du jeune homme s'éclaira d'un sourire.

— C'est de ça qu'il s'agit ? Vous me rassurez !... Curieux que je n'aie pas pensé à ça ! Je ne me rappelais même pas que Jean était là. Ça vous intéresse, cette histoire-là ?

— Qui sait ? Vous ne contestez pas le fait ?

— Bien sûr que non ! On discutait. Colin et Len prenaient des airs supérieurs et affirmaient avec tant d'assurance que je leur ai dit que n'importe qui, avec un peu d'ingéniosité, pouvait mettre la main sur des quantités de poisons fort appréciables, que je connaissais au moins trois façons de me procurer des drogues dangereuses et que j'étais tout prêt à leur prouver que je ne bluffais pas.

— Ce que vous avez fait.

— Ce que j'ai fait.

— Comment avez-vous procédé ?

Chapman pencha la tête sur le côté pour regarder Sharpe.

— Est-ce que vous ne me demandez pas là, inspecteur, de témoigner contre moi-même et la loi ne vous fait-elle pas, en ce cas, une obligation de me prévenir que j'ai le droit de ne pas répondre ?

— Nous n'en sommes pas là, Mr Chapman, mais, en fait, je ne saurais vous forcer à parler si vous jugez préférable de vous taire.

— Je ne crois pas que je veuille ne rien dire...

Un sourire au bord des lèvres, il réfléchit quelques secondes, puis il dit :

— Sans doute, j'ai agi de façon très répréhensible et vous pourriez fort bien me coffrer, mais, d'autre part, c'est sur un meurtre que vous enquêtez et, si cela doit vous aider à voir clair, je ne crois pas que je puisse me taire.

— A mon sens, Mr Chapman, c'est là juger sainement.

— Très bien. Je parle !

— Vous connaissez trois manières de vous procurer du poison, dans le secret le plus complet. Quelles sont-elles ?

Chapman se renversa dans son fauteuil.

— On lit, tous les jours, dans les journaux, des articles où il est question de médecins qui ont égaré des médicaments dangereux. On met le public en garde contre les drogues, tombées d'une voiture, qu'il peut trouver sur la route.

— C'est exact.

— J'ai pensé qu'il serait tout simple d'aller à la campagne, de suivre un médecin dans sa tournée et, quand l'occasion s'offrirait, d'ouvrir la porte de

son auto, de jeter un coup d'œil dans sa trousse...
et de choisir. A la campagne, le médecin ne prend
pas toujours sa trousse quand il entre dans une maison. Avec certains malades, il sait qu'elle ne lui
manquera pas.

— Alors ?

— Alors, c'est tout ! Au moins, en ce qui concerne
la méthode numéro un. Pratiquement, j'ai dû filer
trois toubibs avant d'en trouver un suffisamment né-
gligent. Quand je l'ai eu, les choses ont marché
comme sur des roulettes. Il avait laissé sa voiture
dans une cour de ferme, très tard, et je me suis
servi, le plus simplement du monde. C'est comme
cela que je me suis procuré l'hyosciamine.

— Bon. La méthode numéro deux ?

— Là, je dois l'avouer, j'ai dû mettre à contribution, sans qu'elle s'en doute, la pauvre Celia, de
qui il faut bien dire qu'elle n'était pas une lumière.
Après avoir blagué le jargon médical et ses grands
mots latins, je lui ai demandé de m'écrire une ordonnance pour de la digitaline, dans le style même
qu'emploierait un toubib. Elle l'a fait bien volontiers,
sans rien soupçonner, la pauvre gosse, et il m'a suffi
ensuite de recopier son texte sur un papier à lettres
portant l'en-tête d'un hôtel du centre de Londres, de
pêcher dans un annuaire le nom d'un médecin rési-
dant dans un quartier éloigné, de signer de ses ini-
tiales suivies d'un paraphe à peu près illisible et de
présenter l'ordonnance à un pharmacien de New
Oxford Street, lequel, sans l'ombre d'une hésitation,
m'a remis la digitaline prescrite par ce médecin de
qui il voyait l'écriture pour la première fois.

— Très ingénieux, dit Sharpe d'une voix brève.
Nigel fit la grimace.

— Je suis mal parti, hein ? Je vois ça à votre ton...

— Et la méthode numéro trois ?

La réponse tarda quelques secondes.

— Dites-moi, inspecteur... Qu'est-ce que je risque, au juste ?

— Nous avons jusqu'à présent un vol qualifié et un faux en écriture...

Nigel protesta.

— Etes-vous bien sûr que ce soit un faux ? Je n'ai contrefait l'écriture de personne. J'ai griffonné, au bas d'une pseudo-ordonnance, quelque chose ressemblant à « H. R. James », je n'ai pas cherché à reproduire la signature d'un docteur James déterminé. Vous voyez ce que je veux dire ?

Avec un sourire contraint, il ajouta :

— Voilà des aveux diablement compromettants, n'est-ce pas ? Avec ça, si vous voulez me mettre dans le bain, je suis bon ! Mais, d'un autre côté...

Il hésitait.

— D'un autre côté ? dit Sharpe.

— D'un autre côté, reprit Nigel avec force, j'ai horreur des assassins ! Celia était une brave gosse, qui ne méritait pas de finir comme ça... Il faut que le meurtrier soit puni. Mais croyez-vous que c'est en vous racontant mes fautes que je vous aiderai à le découvrir ? Je me fais du tort... et c'est tout !

— La police n'est pas sotte, répondit l'inspecteur, et elle peut fort bien mettre sur le compte de la jeunesse certaines... inconséquences, autrement bien difficiles à expliquer. Je vous crois quand vous me dites que vous souhaitez le châtiment du meurtrier. Donc, continuons... et parlez-moi de la méthode numéro trois !

— Avec celle-là, nous abordons la partie délicate

de ma confession. Le procédé était plus risqué que les deux autres, mais aussi plus amusant. J'avais, une fois ou deux, été voir Celia à l'hôpital. Je connaissais les lieux...

— Et il vous a donc été très facile de prendre une fiole dans l'armoire aux poisons ?

— Non. C'eût été trop simple et j'aurais eu l'impression de tricher. De plus, si j'avais eu véritablement des desseins criminels, autrement dit, si j'avais tué avec ce poison que je volais, on se serait très probablement souvenu de ma visite, car il y avait bien six mois qu'on ne m'avait vu là-bas. Je savais que, vers onze heures un quart, Celia se rendait dans une salle voisine pour y prendre une légère collation, une tasse de café et une biscotte. A ce moment-là, il ne restait dans la pharmacie proprement dite qu'une assistante, entrée récemment et qui ne me connaissait cera- inement pas de vue. J'ai passé une blouse blanche et, un stéthoscope autour du cou, je suis arrivé, alors qu'il n'y avait là que la nouvelle, d'ailleurs fort occupée à faire je ne sais quel paquet. Je suis allé à l'armoire aux poisons, j'ai pris le flacon qui m'intéressait, j'ai demandé à cette jeune femme ce qu'il y avait là en fait d'adrénaline, elle m'a répondu et je lui ai dit alors que j'avais une migraine terrible et qu'un calmant me ferait du bien. Elle m'en a donné deux comprimés, je les ai avalés devant elle et je suis parti, le plus tranquillement du monde. Elle n'a rien soupçonné et je suis convaincu qu'elle m'a pris pour un médecin ou pour un étudiant. Quant à Celia, elle n'a même pas su que j'étais allé là-bas.

— Vous avez parlé d'un stéthoscope, dit Sharpe. D'où venait-il ?

Nigel répondit avec quelque embarras.

— Il appartenait à Len Bateson. Je le lui avais chipé.

— Ici ?

— Oui.

— Voilà donc expliquée la disparition du stéthoscope ! Celia n'y était pour rien.

— Evidemment ! Je vois mal une kleptomane fauchant un stéthoscope !

— Cet instrument, qu'en avez-vous fait ensuite ?

— J'ai été obligé de le mettre au clou.

— Un sale coup pour Bateson !

— D'accord ! Mais, à moins de tout lui expliquer, et je n'en avais pas l'intention, je ne pouvais pas lui dire où était passé son stéthoscope. A ma décharge, j'ajouterai que, peu après, j'ai offert à Bateson une de ces bringues qui font époque dans la vie d'un homme.

Nigel souriait.

— Vous avez des choses une vision très particulière, dit Sharpe.

— Ce qu'il fallait voir, reprit Chapman, c'est la figure des gars quand j'ai aligné mes poisons sur la table, en leur disant que je m'étais arrangé pour me les procurer de façon telle que nul ne pouvait savoir qu'ils étaient en ma possession.

— Si je comprends bien, vous auriez pu vous débarrasser de quelqu'un par un poison à votre choix... et le poison utilisé pour cet assassinat, personne n'aurait jamais pu démontrer qu'il avait été en votre possession ?

— C'est assez cela. Je le reconnais, bien que ce soit un aveu assez pénible, dans les circonstances actuelles. Fort heureusement, ces poisons ont tous été détruits, il y a de cela quinze jours, sinon plus.

— Vous le croyez, Mr Chapman, mais pouvez-vous en être sûr ?

Nigel regarda le policier avec stupeur.

— Que voulez-vous dire ?

— Ces poisons, combien de temps les avez-vous gardés par devers vous ?

Nigel réfléchit.

— Le tube d'hyosciamine, une dizaine de jours. Le tartrate de morphine, quatre jours environ. Quant à la digitaline, un après-midi seulement.

— Ces deux poisons que vous avez eus pendant plusieurs jours, où les conserviez-vous ?

— Dans un tiroir de ma commode, cachés sous une pile de chaussettes.

— Quelqu'un savait-il qu'ils étaient là ?

— Personne, j'en suis sûr.

La réponse n'était pas venue sans hésitation, mais Sharpe n'insista pas.

— Aviez-vous mis quelqu'un au courant de vos intentions ? Quelqu'un savait-il comment vous pensiez vous procurer ces poisons ?

— Non. C'est-à-dire... Non, personne.

— Vous avez dit : « C'est-à-dire », Mr Chapman ?

— Parce que j'ai songé, à un certain moment, à m'ouvrir de mes projets à Pat. Puis, je me suis dit qu'elle ne les approuverait pas. Alors, je me suis tu.

— Vous ne lui avez absolument rien dit ?

— Par la suite, je lui ai raconté comment je m'y étais pris pour la digitaline. Elle n'a pas trouvé ça drôle, j'ai le regret de le dire. Alors, je m'en suis tenu là. Si je lui avais expliqué que j'avais volé l'hyosciamine dans une voiture, elle m'aurait incendié !

— Vous ne lui avez pas dit que, votre pari gagné, vous détruiriez ces poisons ?

— Si. C'était même un problème qui la tracassait. Elle avait même commencé par prétendre que je ferais mieux de les reporter où je les avais pris...

— Cette idée-là ne vous était pas venue ?

— Vous n'y songez pas ! Je ne pouvais pas faire ça sans me fourrer dans un pétrin invraisemblable ! Le plus simple, c'est ce que nous avons fait. Nous avons tout balancé dans le feu et les cabinets. Ma démonstration était terminée et personne ne s'en trouvait plus mal.

— Comment pouvez-vous l'affirmer, Mr Chapman ?

— Puisque nous détruisions les drogues...

— Il ne vous est jamais venu à l'esprit, Mr Chapman, que quelqu'un pouvait avoir découvert votre cachette et remplacé le tartrate de morphine par un autre produit ayant sensiblement le même aspect ?

Nigel ouvrait de grands yeux.

— Je n'ai jamais pensé à ça ! Et je ne crois pas qu'on l'ait fait !

— Il reste, Mr Chapman, que c'est une possibilité.

— Mais personne ne pouvait savoir que ces drogues étaient dans ma commode !

— Dans une maison comme celle-ci, Mr Chapman, il y a toujours des gens qui en savent beaucoup plus long que vous ne pouvez croire.

— Des gens qui furètent partout et se mêlent de ce qui ne les regarde pas ?

— Exactement.

— Il y a peut-être du vrai...

— Parmi les pensionnaires, quels sont ceux qui

peuvent normalement entrer chez vous à n'importe quel moment ?

— Len Bateson, d'abord, puisque nous partageons la même chambre. Tous les garçons, ensuite... Ils sont tous venus chez moi, un jour ou l'autre. Naturellement, pas les filles. En principe, elles n'ont pas le droit de pénétrer dans les chambres du secteur réservé aux mâles.

— Vous dites bien « en principe » ?

— Parce que, bien sûr, elles pourraient toutes entrer dans nos chambres dans la journée. L'après-midi, surtout, quand personne n'est là.

— Receviez-vous quelquefois la visite de Miss Lane ?

— J'espère, inspecteur, que vous ne donnez pas à cette question le sens qu'elle paraît avoir. Il arrive à Pat de venir jusqu'à ma chambre, pour me rapporter les chaussettes qu'elle veut bien me raccommoder.

L'inspecteur Sharpe se pencha en avant.

— Vous rendez-vous compte, Mr Chapman, que vous étiez mieux placé que quiconque pour substituer un produit quelconque à la morphine cachée dans votre commode ?

Nigel avait blêmi.

— Je m'en suis aperçu il y a tout juste deux minutes. Rien ne m'aurait été plus facile, en effet. Mais je ne l'ai pas fait. Je n'avais aucune raison de vouloir la mort de cette pauvre gosse... Je ne l'ai pas fait. Seulement, je serais bien incapable de vous le prouver et rien ne vous oblige à me croire sur parole !

CHAPITRE XI

L'histoire du pari et de la destruction des drogues fut confirmée par Len Bateson et par Colin Mac Nabb, en présence de Chapman. Sharpe retint Colin après le départ des deux autres.

— Je ne voudrais pas, lui dit-il, ajouter à votre chagrin. J'imagine ce qu'il peut être. Miss Austin était votre fiancée depuis quelques heures...

Colin Mac Nabb gardait un visage impassible.

— Je vous en prie, dit-il d'une voix calme, ne vous préoccupez pas de ce que peuvent être mes sentiments. Posez-moi les questions que vous jugez nécessaires, je répondrai !

— Vous êtes bien d'avis, Mr Mac Nabb, que Celia Austin n'était pas entièrement responsable de son comportement ?

— Pour moi, la chose ne fait aucun doute. Si vous le permettez, je vais vous exposer là-dessus ma théorie...

L'inspecteur leva la main.

— Inutile ! Vous êtes un spécialiste, je vous fais confiance.

— Elle avait eu une enfance particulièrement malheureuse. Son « ego »...

Une fois encore, Sharpe coupa la parole à son interlocuteur. Il ne voulait pas entendre une autre histoire d'enfance malheureuse. Celle de Nigel lui suffisait.

— Il y a longtemps que vous étiez épris d'elle ? demanda-t-il.

— Oui et non, répondit Mac Nabb, après quelques secondes de réflexion. Il y a des découvertes qu'on fait brusquement et qui vous surprennent. Dans mon subconscient, j'aimais Celia depuis longtemps, c'est certain. Mais je l'ignorais. Comme je n'avais pas l'intention de me marier jeune, il est probable qu'il y avait, à propos de cet amour, un conflit latent entre mon subconscient et mon « moi » conscient.

— C'est évident ! dit Sharpe avec empressement. Miss Austin était heureuse de ses fiançailles ? Elle ne manifestait pas certaines... inquiétudes ? Il ne lui semblait pas qu'il était des choses qu'elle aurait dû vous dire ?

— Après ses aveux, qui avaient été fort complets, elle n'avait plus aucune raison de se faire du souci.

— Quand pensiez-vous vous marier ?

— Pas avant très longtemps. Ma situation actuelle ne me permet pas d'entretenir un ménage.

— Celia avait-elle des ennemis dans la maison ?

— J'ai peine à le croire. C'est une question, inspecteur, à laquelle j'ai beaucoup réfléchi. Tout le monde l'aimait bien. Pour moi, on ne l'a pas tuée pour des raisons personnelles

— « Pour des raisons personnelles ? » Qu'enten-
dez-vous par-là ?

— Je préférerais ne pas le préciser pour le moment. C'est une idée encore assez confuse dans mon
esprit et je ne la vois pas encore très bien.

Sharpe, malgré quelques questions supplémentai-
res, ne put amener Colin à en dire plus.

Il lui restait encore à voir Sally Finch et Elizabeth
Johnston. Il commença par Sally Finch.

C'était une jolie rousse, aux yeux vifs et intelli-
gents. La conversation à peine engagée, elle dit :

— Savez-vous ce qui me ferait plaisir, inspecteur ?
Eh bien ! ce serait de vous livrer ma pensée entière !
Et la voici ! Il y a dans cette maison quelque chose
d'inquiétant. Pour moi, c'est une certitude !

— C'est l'assassinat de Celia Austin qui vous fait
dire ça ?

— Non. Cette conviction, je l'ai depuis longtemps.
Il s'est passé ici un tas de choses qui ne m'ont pas
plu. Il y a eu ce sac à dos lacéré, il y a eu l'écharpe
de Valerie, mise en pièces, il y a eu l'encre répandue
sur le papier de Black Bess, *et cœtera, et cœtera.*
J'avais l'intention de décamper d'ici, et le plus rapidement possible. Je l'ai toujours. Dès que vous m'en
donnerez la permission, je m'en irai.

— Vous redoutez quelque chose, Miss Finch ?

— C'est exactement cela. Il y a ici quelqu'un qui
ne recule devant rien. La maison est tout autre
qu'elle ne paraît. Pourquoi ? Je l'ignore. C'est une
impression, mais je suis sûre qu'elle ne me trompe
pas ! Et je vous parierais que la vieille rosse y est
pour quelque chose !

— La vieille rosse ? C'est à Mrs Hubbard que
vous faites allusion ?

— Oh ! non. Ma Hubbard est un amour ! C'est à la Vanilos que je pense. Un chameau, celle-là !

— Qu'est-ce que vous lui reprochez au juste, à Mrs Vanilos ?

— Pas facile à dire ! Tout ce que je sais, c'est qu'elle me fait froid dans le dos chaque fois que je la rencontre. Croyez-moi, inspecteur, il se manigance quelque chose dans cette maison.

— Vous ne pouvez pas préciser un peu ?

— Je voudrais bien, mais j'en suis incapable. Ne croyez pas, surtout, que je me fasse des idées ! Cette impression-là, d'autres l'ont aussi. Akibombo, par exemple. Il meurt de peur. Black Bess également, je crois. Seulement, elle n'en conviendra pas. Et Celia, je suis persuadée qu'elle savait quelque chose !

— Mais à propos de quoi ?

— C'est justement ce que j'ignore ! Ce que je sais, c'est ce qu'elle a dit le jour même où elle est morte ! Elle disait que tout s'expliquerait, que bientôt il n'y aurait plus de mystère. Ce qu'elle avait fait, elle l'avait avoué et elle donnait à entendre qu'il y avait d'autres choses qu'elle savait et qu'elle ne disait pas, parce que ce n'était pas à elle de les dire. Pour moi, *elle savait quelque chose sur quelqu'un.* Et c'est pour cela qu'on l'a tuée !

— Mais si c'était tellement sérieux...

Sally n'attendit pas que l'inspecteur eut achevé sa phrase.

— Justement, elle ne s'en rendait pas compte ! Elle n'était pas très intelligente. Elle était même un peu sotte. Elle savait quelque chose, mais elle ne comprenait pas l'importance de ce qu'elle avait découvert, elle ne voyait pas qu'il était dangereux de savoir ce qu'elle savait. Ce n'est qu'une impression.

bien sûr, et je vous la donne pour ce qu'elle vaut.

— Et je vous remercie, Miss Finch. C'est bien hier soir, après le dîner, dans le living-room, que vous avez vu Celia pour la dernière fois ?

— Oui. A vrai dire, je l'ai encore vue après.

— Après ? Dans sa chambre ?

— Non. Quand j'ai quitté le living-room pour monter me coucher, je l'ai aperçue qui sortait de la maison.

— Qui sortait de la maison ?

— Oui.

— Voilà qui est surprenant ! Personne ne m'a encore parlé de ça !

— Je suis probablement la seule à le savoir. Elle avait dit bonsoir à tout le monde, elle avait dit qu'elle gagnait sa chambre et, si je ne l'avais vue, je vous aurais dit, comme les autres, qu'elle était montée directement se coucher.

— Alors que, si j'ai bien compris, elle est allée à sa chambre, s'est vêtue pour sortir et a quitté la maison ? C'est bien ça ?

— C'est bien ça. Et je crois qu'elle allait retrouver quelqu'un.

— Quelqu'un du dehors ou un pensionnaire de la maison ?

— Je penche pour la seconde hypothèse. Sans sortir, il ne lui était pas facile d'avoir avec quelqu'un un entretien particulier. Quelqu'un lui avait peut-être demandé de venir le rejoindre dehors...

— Avez-vous idée de l'heure à laquelle elle est rentrée ?

— Aucune.

— Geronimo la saurait peut-être ?

— Oui, si elle est revenue après onze heures, parce

que c'est à cette heure-là qu'il boucle la porte pour la nuit, verrous et chaînes. Avant onze heures, chacun peut rentrer avec sa clé.

— Savez-vous à quelle heure exactement vous l'avez vue quitter la maison ?

— Il devait être dix heures. Peut-être un peu plus, mais pas beaucoup.

Pour finir, l'inspecteur eut un cenversation avec Elizabeth Johnston. Il eut tout de suite l'impression de se trouver en présence d'une fille remarquablement intelligente. Très calme, elle répondait à ses questions de façon claire et précise.

— Celia Austin, lui dit-il, s'est défendue avec énergie d'avoir jeté de l'encre sur vos papiers. Avez-vous une opinion là-dessus ?

— Pour moi, ce n'était pas elle !

— Alors, qui ?

— On est tenté de répondre : « Nigel Chapman ». Seulement, Nigel n'est pas un imbécile. Il ne se serait pas servi d'encre verte.

— Alors, quel était le coupable ?

— Je l'ignore, mais je pense que Celia devait le savoir... ou, tout au moins, qu'elle l'avait deviné.

— Elle vous l'a dit ?

— Pas expressément, mais la veille de sa mort, avant de descendre pour le dîner, elle est venue me voir dans ma chambre, à seule fin de me dire que, si elle avait bien commis des vols dans la maison, ce n'était pas elle qui avait répandu de l'encre sur mes papiers. Je lui ai répondu que je la croyais et je lui ai demandé si elle connaissait le coupable.

— Et que vous a-t-elle dit ?

La réponse se fit attendre quelques secondes. Elizabeth aimait les citations exactes.

— Elle m'a dit : *Je n'ai pas vraiment une certitude, parce que le mobile m'échappe... Etait-ce une maladresse, un accident ? Je n'en sais rien. Mais je suis persuadée que la personne qui a fait ça, quelle qu'elle soit, regrette et qu'elle serait heureuse d'avouer.* Et elle m'a dit aussi : *Il y a des choses que je ne comprends pas, comme, par exemple, l'histoire des lampes électriques, le jour où la police est venue.*

— Qu'est-ce que c'est que cette histoire de police et de lampes électriques ?

— Je n'en sais rien, Celia m'a dit encore : « Ce n'est *pas moi* qui les ai retirées ! »... Et aussi : « Je me demande si cela a un rapport quelconque avec le passeport. » J'ai voulu savoir de quel passeport elle parlait. Elle m'a répondu : « Je crois qu'il y a ici quelqu'un qui a un faux passeport. »

Elle se tut. Sharpe garda le silence un instant. Il lui semblait que, peu à peu, l'affaire prenait tournure.

— Qu'a-t-elle dit encore ? demanda-t-il.

— Rien d'autre. Elle s'est contentée d'ajouter : « De toute façon, j'en saurai plus long demain ! »

— Elle a dit ça ? *J'en saurai plus long demain ?* Voilà, Miss Johnston, qui est fort intéressant...

Un silence suivit. Sharpe réfléchissait. La surveillance des hôtels et des pensions hébergeant des étrangers étant très stricte, il avait, avant de venir, consulté à Scotland Yard le dossier du 26, Hickory Road. Il ne contenait que des broutilles. La maison n'avait jamais eu d'histoires vraiment fâcheuses. Un jeune étudiant africain, réclamé par la police de Sheffield pour « vagabondage spécial », y avait logé pendant quelques jours, mais le personnage était rapidement allé ailleurs et, arrêté depuis, il avait été expulsé. On avait revu les agents chez Mrs Vanilos,

quand on recherchait dans les hôtels de Londres un
jeune homme dont on voulait « recueillir le témoignage », à propos de l'assassinat d'une cabaretière
non loin de Cambridge. Peu après, le type s'était
présenté au commissariat de police de Hull et avait
avoué qu'il était le meurtrier. On avait encore parlé
du 26, Hickory Road, à l'occasion de la distribution
de pamphlets subversifs par quelques étudiants, et
c'était tout. Tout cela était assez ancien et évidemment sans rapport aucun avec la mort de Celia
Austin.

L'inspecteur Sharpe poussa un soupir discret, leva
les yeux et, brusquement, posa à Miss Johnston la
question qui, en ce moment, lui venait à l'esprit :

— Vous n'avez jamais eu l'impression, Miss Johnston, qu'il y a, dans cette maison, quelque chose d'inquiétant ?

Elle regarda le policier avec étonnement.

— D'inquiétant ? En quel sens ?

— Je ne pourrais pas le dire. Je pense à certains
propos de Sally Finch.

— Ah ! Sally Finch !

Le ton était curieux, indéfinissable. Sharpe eût été
bien empêché de lui donner un sens.

— Miss Finch, reprit-il, a des dons d'observation
incontestables. Elle considère qu'il y a, dans cette
maison, quelque chose d'inquiétant. Quoi ? Elle ne
saurait le préciser, mais son impression n'en est pas
moins nette.

— Elle est américaine, voilà tout ! déclara
Miss Johnston avec assurance. Tous ses compatrio-
tes sont comme ça ! Nerveux, craintifs, ayant peur
de tout, et même de leur ombre ! Voyez comme ils
se sont ridiculisés avec leur « chasse aux sorcières » !
Sally, n'en doutez pas, c'est l'Américaine type !

Sharpe écoutait avec attention. Elizabeth Johnston détestait Sally Finch. Etait-ce parce que Sally était américaine ? Ou par simple jalousie féminine ? Il n'était pas sans intérêt de le savoir.

L'inspecteur n'ignorait pas qu'il est des cas où la flatterie est recommandable. Il décida d'en user.

— Miss Johnston, dit-il d'une voix doucereuse, je ne crois pas vous apprendre quoi que ce soit en vous signalant que, dans une maison comme celle-ci, les cerveaux ne sont pas tous de même qualité. Certaines personnes — et elles sont la majorité — ne peuvent nous rapporter que des faits. Mais il en est d'autres, rares, de qui nous attendons plus. Quand cette bonne fortune se rencontre...

L'allusion était directe. Elizabeth ne douta pas un instant de la sincérité du propos.

— Je crois vous comprendre, répondit-elle. Ainsi que vous le faites remarquer, le niveau intellectuel de la maison n'est pas très élevé. Nigel Chapman a l'esprit vif, mais il est très superficiel. Leonard Bateson est un bûcheur, et rien de plus. Valerie Hobhouse est loin d'être sotte, mais elle ne songe qu'au commerce et elle est trop paresseuse pour appliquer ses facultés à quoi que ce soit d'intéressant. Ce que vous recherchez, c'est une intelligence entraînée, jugeant les choses en toute impartialité.

— Telle que la vôtre, Miss Johnston.

Elle accepta le compliment sans protester. Sharpe poursuivit :

— J'incline assez, Miss Johnston, à faire miens les jugements que vous portez sur vos camarades. Chapman est très fort, mais il reste un enfant. Valerie Hobhouse est une sceptique. Vous êtes, vous, une intelligence entraînée — je reprends votre expression — et c'est pourquoi j'attache à vos opinions une importance toute particulière.

Une seconde, il craignit d'être allé trop loin dans la flatterie. Il avait bien tort ! Elizabeth Johnston s'estimait à sa valeur.

— Croyez-moi, inspecteur, cette maison n'a rien d'inquiétant ! Ne faites pas attention à ce que raconte Sally Finch ! Vous ne trouverez trace ici d'aucune activité subversive...

— J'en suis bien sûr, dit Sharpe, assez surpris.

— Je ne précisais le point, reprit Elizabeth, que parce que je pensais à ce que Celia m'avait dit au sujet de ce passeport dont je vous parlais tout à l'heure. Mais, tout bien considéré et compte tenu de ce que nous savons de science certaine, je crois pouvoir dire en toute impartialité que Celia a été victime de ce que les Français appellent « un crime passionnel ». La maison, en tant que maison, n'y est pour rien, et il ne se trame rien ici, j'en suis sûre. S'il en allait autrement, je le saurais. J'ai des antennes...

Après le départ de Miss Johnston, Sharpe regardait pensivement la porte qui venait de se refermer sur la jeune femme, si absorbé dans ses réflexions que le sergent Cobb dut répéter sa phrase pour attirer son attention.

— Vous disiez ?

— Je disais, monsieur, que nous en avons terminé.

— Oui, dit Sharpe. Nous en avons terminé... et nous n'en savons guère plus qu'au début. Seulement, Cobb, je vais vous dire une bonne chose ! Demain, nous revenons ici, avec un mandat de perquisition. Maintenant, fini de causer ! *Il se manigance quelque chose dans cette maison.* Demain, je la mets sens dessus dessous ! Qu'est-ce que je cherche ? Je n'en sais rien, et ça complique le problème, mais j'ai toujours une chance de trouver le petit rien qui me conduira vers la solution !... Curieuse, hein, la fille qui vient de sortir ? Un joli cas d'hypertrophie du « moi »... Et elle saurait quelque chose que ça ne m'étonnerait pas !

CHAPITRE XII

1

Hercule Poirot, qui dictait son courrier, s'interrompit au milieu d'une phrase. Miss Lemon leva la tête.

— Vous dites, monsieur Poirot ?

— J'ai l'esprit ailleurs. Laissons cette lettre ! Après tout, elle n'a aucune importance. Vous seriez gentille, Miss Lemon, de me demander votre sœur au téléphone.

— Bien, monsieur Poirot.

Peu après, Miss Lemon passait le récepteur au détective.

— Allô ! monsieur Poirot ?

Mrs Hubbard parlait d'une voix un peu haletante.

— J'espère bien, Mrs Hubbard, que je ne vous dérange pas ?

— Je crois bien, monsieur Poirot, que c'est devenu impossible !

— Le secteur est agité ?

— C'est trop peu dire, monsieur Poirot ! Hier,

nous avons eu l'inspecteur Sharpe, qui a interrogé nos pensionnaires pendant des heures, et, aujourd'hui, il est revenu avec un mandat de perquisition. Mrs Vanilos est folle de rage et, naturellement, c'est moi qui écope !

Poirot exprima ses condoléances par quelques petits claquements de langue, puis il dit :

— Je vous rappelle, Mrs Hubbard, afin de vous poser une question. Vous m'avez fait parvenir une liste d'objets disparus. J'aimerais savoir si cette liste respecte l'ordre chronologique.

— C'est-à-dire ?

— J'aimerais savoir si vous avez porté les objets sur cette liste dans l'ordre même où ils ont disparu.

— Ah ! non... Je les ai notés comme ils me revenaient à la mémoire. Si je vous ai induit en erreur, je regrette...

— J'aurais dû vous poser la question plus tôt, mais son importance ne m'était pas apparue. J'ai votre liste sous les yeux : un soulier de bal, un bracelet, une bague en diamants, un « compact », etc. Ces objets, donc, n'ont pas disparu dans cet ordre ?

— Non.

— Et vous serait-il possible d'établir une autre liste, respectant cette fois l'ordre chronologique ?

— Je n'en suis pas sûre, monsieur Poirot. C'est déjà loin, tout ça, n'est-ce pas ? Il faudra que je réfléchisse. Quand j'ai dressé la liste que vous avez, j'ai noté à mesure que je me souvenais. Le soulier vient en premier, parce que c'était tout de même une disparition bien étrange. Le bracelet, le « compact », le briquet et la bague, j'ai tout de suite songé à eux, parce que c'étaient des objets de valeur. Le reste ne m'est revenu que plus tard. A la réflexion, en quelque sorte...

— Naturellement. Quoi qu'il en soit, cette nouvelle liste, pourriez-vous me la faire quand vous aurez un instant ?

— Je vais essayer, monsieur Poirot. J'aurai un peu de temps à moi, quand j'aurai mis Mrs. Vanilos au lit, avec un bon calmant. Qu'est-ce que vous désirez au juste ?

— La liste des objets disparus, dans l'ordre où ils ont disparu.

— J'ai compris, monsieur Poirot. Je crois que c'est le sac à dos qui viendra en premier. Derrière, nous aurons les lampes électriques — encore que cela, d'après moi, ce soit tout autre chose —, puis le bracelet et le « compact »... Ou, plutôt, le soulier de bal... Je vais voir ça, monsieur Poirot, et je ferai de mon mieux, je vous le promets !

Poirot remercia la brave dame et posa le récepteur.

— Je suis très mécontent de moi, dit-il à Miss Lemon. Pour une fois, je me suis départi de mes principes d'ordre et de méthode. J'aurais dû, dès le début, m'assurer de l'ordre dans lequel ces vols avaient été commis.

Miss Lemon soupira discrètement.

— Nous finissons le courrier, monsieur Poirot ? demanda-t-elle.

Poirot lui répondit d'un geste impatient de la main. Son esprit était ailleurs.

2

Quand il arriva à Hickory Road, le samedi matin, son mandat de perquisition en poche, l'inspecteur Sharpe demanda à voir Mrs Vanilos, qui, comme chaque semaine, venait ce jour-là faire ses comptes avec Mrs Hubbard. Il lui expliqua l'objet de sa visite.

Mrs Vanilos protesta avec indignation contre cette violation de domicile.

— C'est une honte ! Mes pensionnaires me quitteront ! Ils me quitteront et je serai ruinée !

— Mais non, madame, ils comprendront, j'en suis sûr ! Il s'agit d'un meurtre, ne l'oublions pas !

— Pas d'un meurtre ! D'un suicide !

— Aucun de vos pensionnaires, j'en suis convaincu, ne s'opposera...

— Aucun, dit à son tour Mrs Hubbard. Sauf, peut-être, Mr Achmed Ali et Mr Chandra Lal.

— Est-ce qu'ils comptent ? lança Mrs Vanilos d'un ton méprisant.

— Puisque nous sommes d'accord, dit vivement l'inspecteur, nous commencerons par cette pièce.

Mrs Vanilos devint rouge de colère.

— Vous perquisitionnerez où vous voudrez, s'écria-t-elle d'une voix qui tremblait de fureur, mais *pas dans ma chambre* ! Je m'y oppose !

— Je suis navré, Mrs Vanilos, mais je visiterai la maison du haut en bas.

— La maison, soit ! Mais pas ma chambre ! *Je* suis au-dessus des lois !

— Personne n'est au-dessus des lois. Voudriez-vous, madame, vous tenir un peu à l'écart ?

Le visage de Mrs Vanilos virait au violet.

— C'est une infamie ! J'écrirai au Premier ministre ! J'écrirai aux journaux ! J'écrirai à tout le monde !

— Ecrivez à qui vous voudrez ! Je perquisitionnerai dans cette chambre.

Ayant dit, Sharpe marcha droit sur le bureau, dont il ouvrit les tiroirs. Il y trouva des papiers divers,

une grosse boîte de bonbons et mille choses sans
intérêt. Il se dirigea de là vers une armoire qui occupait un coin de la pièce. Elle était fermée à clé.

— Vous voudriez me donner la clé ? dit-il.

— Jamais ! hurla Mrs Vanilos. Cette clé, vous ne
l'aurez jamais ! Sale cochon de policier ! Je vous
crache dessus ! Vous entendez ? Je vous crache dessus !

Sharpe gardait tout son calme.

— Vous feriez mieux de me donner la clé. Sinon,
je fais sauter la porte !

— Cette clé, vous ne l'aurez jamais ! Arrachez-
moi mes vêtements pour l'avoir, si vous voulez ! Je
ne vous la donnerai pas ! Jamais !

Résigné, Sharpe se tourna vers le sergent Cobb.

— Allez me chercher un ciseau à froid, Cobb !

Deux minutes plus tard, Cobb revenait avec l'outil.
La porte ne résista pas. L'armoire contenait une
quantité impressionnante de bouteilles de cognac.
Toutes vides.

Mrs Vanilos criait des injures.

Sharpe la salua.

— Je vous remercie, madame. Je n'ai plus rien à
faire dans cette pièce.

Un mystère était éclairci.

Celui des humeurs de Mrs Vanilos.

3

Le coup de téléphone de Poirot était arrivé alors
que, dans sa chambre à elle, Mrs Hubbard préparait
une potion sédative pour Mrs Vanilos. La communi-
nication terminée, elle alla rejoindre l'irascible propriétaire de la pension. Elle l'avait laissée, écumant

de rage sur son divan, après le départ des policiers. Elle la retrouva un peu calmée, mais amère.

— Buvez ! lui dit-elle. Ça vous fera du bien !

Mrs Vanilos maugréait :

— On parle de la Gestapo ! Ces gens-là sont pires !

— Il faut bien qu'ils fassent leur travail.

— C'est leur travail de fouiner dans mes armoires ? Je leur dis : « Il n'y a rien pour vous là-dedans ! », je refuse de leur donner la clé et ils font sauter la serrure ! Je réclamerai des dommages-intérêts...

— Si vous leur aviez remis cette clé...

— Mais pourquoi leur aurais-je donnée ? C'est *ma* clé, ma clé *à moi* ! Et, ici, je suis chez moi, dans mon appartement particulier ! Ils n'ont rien à y faire. Je leur dis : « Allez-vous-en ! » et ils ne s'en vont pas !

— Réfléchissez, Mrs Vanilos ! Il s'agit d'un meurtre. On se trouve obligé d'accepter...

— Un meurtre ? Laissez-moi rire ! C'est un suicide ! Cette petite sotte de Celia a eu un chagrin d'amour et elle a pris du poison, un point, c'est tout ! Ces choses-là arrivent tous les jours, parce que toutes ces filles sont folles et se figurent que l'amour représente quelque chose ! Comme si ça comptait ! Les grandes passions ? Ça dure un an, deux ans, et puis c'est fini ! Les hommes sont tous les mêmes ! Seulement, les pauvres idiotes ne le savent pas, elles avalent des somnifères ou elles ouvrent le robinet du gaz... Et, après, il est trop tard pour regretter !

— A votre place, dit Mrs Hubbard, je ne penserais plus à tout ça !

— Vous en parlez à votre aise ! répliqua Mrs Vanilos. Je suis bien forcée de me faire du tracas,
moi ! Maintenant, je ne suis plus tranquille !

— Plus tranquille ?

Mrs Hubbard ne comprenait pas.

— Certainement, plus tranquille ! C'était mon armoire. Personne ne devait savoir ce qu'elle contenait
et personne ne le savait. Maintenant, *ils* le savent
ou ils vont le savoir. C'est très gênant. Que vont-ils
penser ?

— Qui « ils » ?

Mrs Vanilos haussa ses belles épaules.

— Peu importe !

— Vous feriez mieux de me le dire. Je pourrais
peut-être vous venir en aide...

— Heureusement, reprit Mrs Vanilos, je ne cou-
che pas ici, Dieu merci ! Avec ces clés qui vont
sur toutes les serrures...

— Si vous avez peur de quelque chose, Mrs Vanilos, ne croyez-vous pas qu'il vaudrait mieux me dire
ce que vous redoutez ?

Le sombre regard de Mrs Vanilos se posa quelques secondes sur Mrs Hubbard.

— Vous l'avez dit vous-même ! répondit-elle, tour-
nant la tête. Il y a eu un meurtre dans cette maison.
On a donc le droit de s'y sentir mal à l'aise. Quelle
sera la prochaine victime ? On peut se poser la
question, puisque l'assassin court toujours ! On ne
le connaît même pas. Et cela, parce que les policiers
sont stupides, et probablement vendus !

— Il ne faut pas dire des choses comme ça,
Mrs Vanilos ! Vous savez bien que ce n'est pas vrai.
Voyons... Avez-vous vraiment des raisons d'être in-
quiète ?

La colère latente de Mrs Vanilos n'attendait qu'une question de ce genre pour exploser.

— C'est ça ! Vous savez, *vous*, que je n'ai pas de vraies raisons d'être inquiète ! Comme toujours, vous en savez plus long que tout le monde ! Vous êtes admirable ! Vous gaspillez mon argent comme si je le fabriquais, vous gavez mes pensionnaires à mes frais, pour être bien vue d'eux, et vous prétendez en outre me dire comment je dois mener ma barque ! Eh bien ! non. Mes affaires ne regardent que moi et personne ne viendra y fourrer son nez ! Vous m'entendez ? Personne !

— Comme vous voudrez !

— Vous êtes une espionne ! Je l'ai toujours su.

— Et qu'est-ce que j'espionne ?

— Rien, parce qu'il n'y a rien à espionner. Si vous croyez le contraire, c'est parce que vous vous prenez à vos propres mensonges ! Mais si on raconte des horreurs sur mon compte, je saurai qui les met en circulation !

— Si vous désirez que je m'en aille, vous n'avez qu'un mot à dire !

— Vous en aller ? Je vous le défends bien ! Ce n'est pas le moment. Avec la police dans la maison et cette histoire de meurtre, et tout le reste, comment m'en sortirai-je si j'ai tout sur les bras ! Vous ne m'abandonnerez pas maintenant ! Je ne le permettrai pas.

— Soit ! dit Mrs Hubbard, d'une voix découragée. Mais convenez qu'il est bien difficile de savoir ce que vous voulez ! Il y a des minutes où je me demande si vous le savez vous-même. Vous feriez mieux de tâcher de dormir un peu...

CHAPITRE XIII

Hercule Poirot descendit de taxi devant le 26, Hickory Road.

La porte lui fut ouverte par Geronimo, qui l'accueillit comme un ami de longue date. Il y avait un policeman dans le vestibule.

Geronimo introduisit Poirot dans la salle à manger, ferma la porte et, tout en aidant le détective à quitter son pardessus, lui confia à mi-voix que la maison vivait des heures « épouvantables ».

— Les policiers ne bougent pas d'ici ! Ils interrogent, ils vont, ils viennent. Ils regardent dans les placards, ils fouillent les tiroirs, ils entrent même dans la cuisine ! Maria est furieuse. Elle dit qu'elle aimerait flanquer à un flic un bon coup de rouleau à pâtisserie et j'ai toutes les peines du monde à lui faire comprendre que nous avons déjà bien assez d'ennuis comme ça !

— Paroles de bon sens, dit Poirot, sincère. Est-ce que je pourrais voir Mrs Hubbard ?

— Elle est en haut. Je vais vous conduire.

— Un instant. Vous souvenez-vous d'un jour où des lampes électriques auraient disparu ?

— Oui, mais c'était il y a longtemps. Deux ou trois mois...

— Quelles lampes exactement ont été enlevées ?

— Celle du vestibule et, je crois bien, du living-room. Une plaisanterie, évidemment.

— Vous ne vous rappelez pas la date exacte ? Geronimo réfléchit.

— Je ne me souviens pas, mais je crois que c'était en février, le jour où le policeman est venu...

— Qu'est-ce qu'il voulait, ce policeman ?

— Il venait voir Mrs Vanilos au sujet d'un de nos pensionnaires. Un étudiant, soi-disant, mais en réalité un très sale bonhomme. Il venait d'Afrique et il ne faisait rien. Il avait trouvé moyen de toucher des allocations et, surtout, il avait une femme qui travaillait pour lui, une fille publique. La police n'aime pas ça. Ça se passait à Manchester, je crois, ou à Sheffield. Bref, il a dû se sauver de là-bas et il est venu ici. Le policeman pensait le trouver ici, mais Mrs Hubbard lui a expliqué que nous ne l'avions pas gardé. Il ne lui avait pas plu du tout et elle lui avait dit d'aller ailleurs.

— La police le recherchait ?

— Oui. Il a été arrêté et mis en prison. C'était bien fait ! Ici, c'est une maison propre.

— Et c'est le jour où ce policeman est venu que les lampes ont disparu ?

— Oui. Je m'en souviens parce que dans le vestibule, j'ai tourné le commutateur sans obtenir de lumière. Je vais dans le living-room. Même histoire. Je regarde dans le tiroir où l'on range les lampes de réserve : pas de lampes. Je descends à la cuisine pour demander à Maria si elle sait où il y en aurait

d'autres... et elle me reçoit comme un chien dans
un jeu de quilles, en me disant que les flics ne
l'intéressent pas et que ce n'est pas à elle de s'occuper
des lampes électriques. Alors, j'ai allumé des bougies...

Mrs Hubbard, qui avait l'air très fatigué, commença par déclarer à Poirot que sa visite lui faisait
grand plaisir, puis elle lui remit la liste qu'elle avait
dressée à son intention.

— J'espère qu'elle est exacte, lui dit-elle, mais je
ne l'affirmerais pas. J'ai fait ce que j'ai pu...

— Et je vous en suis très reconnaissant, madame.
Comment va Mrs Vanilos ?

— Je lui ai donné un calmant et j'espère qu'elle
est en train de dormir. Elle a fait une scène terrible
aux policiers venus pour perquisitionner. Elle a re-
fusé d'ouvrir l'armoire qui est dans sa chambre,
l'inspecteur a fait forcer la porte... et on s'est aperçu
qu'il n'y avait, sur les rayons, que des bouteilles de
cognac... vides, et nombreuses !

— Ah !

— Ce qui explique bien des choses. L'étonnant,
c'est que je n'aie pas deviné ça ! A Singapour, cependant, j'ai vu des gens qui buvaient... Mais je
vous raconte là des histoires qui ne vous intéressent
pas !

— Ne croyez pas ça ! Tout m'intéresse !

Poirot s'assit et jeta un coup d'œil sur la liste
que Mrs Hubbard lui avait remise.

— Je vois que, maintenant, c'est le sac à dos qui
vient en première position.

— Oui. C'est le premier objet dont nous avons
constaté la disparition. Un de nos pensionnaires, un
homme de couleur, nous avait causé quelques ennuis
et il n'y avait guère que deux ou trois jours qu'il

avait quitté la maison, si bien que j'ai pensé, un moment, qu'il avait peut-être voulu se venger avant de partir. C'était un triste personnage.

— J'ai l'impression que Geronimo m'a parlé de lui. La police est venue vous voir à son sujet ? C'est bien cela ?

— Oui. Il faisait l'objet de poursuites à Sheffield ou à Birmingham. Une affaire assez scandaleuse... Une femme qui se prostituait pour lui. Il a été arrêté peu après. Nous ne l'avons eu ici que quelques jours. Ses allures m'avaient déplu, je lui ai dit que sa chambre était louée et que je ne pouvais le garder. La visite de la police ne m'a donc pas surprise. Naturellement, je n'ai pas pu dire où il était allé, mais on a tout de même fini par lui mettre la main dessus.

— C'est à ce moment-là que le sac à dos a disparu ?

— Il me semble. Len Bateson devait prendre quelques jours de vacances et faire de l'auto-stop. Son sac à dos restait introuvable. Il l'a réclamé à cor et à cri, on a cherché partout et Geronimo a fini par le découvrir dans la chaufferie, derrière la chaudière. Il était en pièces ! C'est singulier, n'est-ce pas ? Curieux et inexplicable.

— Exactement, dit Poirot. Curieux et inexplicable.

Après un silence, il reprit :

— Et c'est bien le jour où ce policeman est venu s'enquérir de cet étudiant africain que quelques ampoules électriques ont disparu ? C'est ce que m'a dit Geronimo. C'est bien exact ?

— Je ne m'en souvenais pas, mais c'est bien cela. Je me revois, descendant avec ce policier et allant avec lui dans le living-room, où l'on avait allumé

des bougies. Nous voulions demander à Akibombo
si cet étudiant lui avait parlé et, surtout, s'il lui
avait dit où il comptait se loger.

— Qui y avait-il d'autre dans la pièce ?

— Il était six heures du soir, à peu près, et je
crois bien que tous nos étudiants étaient rentrés. J'ai
interrogé Geronimo au sujet de ces lampes, lui demandant en particulier pourquoi il ne les avait pas
remplacées. Il m'a dit que nous nous trouvions sans
lampes de rechange. Pour moi, il ne s'agissait pas
d'un vol, mais d'une farce ridicule. Une seule chose
me surprenait : l'absence de lampes de remplace-
ment. Car nous avons toujours des lampes en réserve.
Quoi qu'il en soit, à ce moment-là, je ne pensais
pas que l'affaire fût sérieuse.

— Ni les lampes, ni le sac à dos ?

— Remarquez, dit Mrs Hubbard, que je continue
à considérer qu'il se peut très bien que ces lampes
disparues et ce sac lacéré n'aient rien à voir avec
les larcins commis par la pauvre petite Celia. N'oublions pas qu'elle a toujours nié avoir touché au sac
à dos !

— Les vols ont commencé combien de temps
après l'incident des lampes ?

— Vous n'imaginez pas, monsieur Poirot, combien il m'est difficile de préciser ! Voyons... Etait-ce
en février ou en mars ? C'était en février, à la fin
du mois... Oui, c'est une huitaine de jours plus tard
que Geneviève a signalé la perte de son bracelet.
C'était entre le 20 et le 25 février.

— Après cela, les vols ont continué assez régulièrement ?

— Oui.

— Le sac à dos appartenait à Len Bateson ?

— Oui.

— Et vous me dites que Bateson était furieux ?

— Oui, monsieur Poirot. Mais n'accordez pas à ce détail une importance exagérée ! Len Bateson se met facilement en colère, il s'emporte volontiers, mais c'est un très brave garçon et il a très bon cœur.

— Son sac à dos était très beau ?

— Non. Il était d'un modèle très ordinaire.

— Vous ne pourriez pas m'en montrer un du même genre ?

— Bien sûr que si ! Colin en a un tout pareil, je crois bien. Nigel également... Et Len Bateson aussi, qui en a racheté un tout semblable à l'autre. Tous ces sacs, d'ailleurs, proviennent du même magasin, à deux pas d'ici...

— Je pourrais en voir un ?

— Certainement.

Mrs Hubbard conduisit Poirot à la chambre de Colin Mac Nabb. L'étudiant n'était pas chez lui, mais il avait laissé la clé sur son armoire. Mrs Hubbard trouva dans le meuble le sac à dos qu'elle cherchait. Elle le remit au détective, qui l'examina avec soin.

— Le tissu est solide, dit-il. Ce n'est pas avec des ciseaux à broder qu'on mettra en pièces un sac comme celui-ci !

— Certainement pas ! Je ne vois pas une jeune fille venir à bout d'une telle besogne. Elle réclame de la force... et une bonne dose de méchanceté !

— Et plus de celle-ci que de celle-là !

— Plus tard, quand nous avons retrouvé l'écharpe déchiquetée de Valérie, j'ai eu l'impression que, pour avoir fait ça, il fallait n'avoir pas tout son bon sens.

Poirot protesta.

— Là-dessus, Mrs Hubbard, je ne suis pas de

votre avis. Nous n'avons pas affaire à un déséquilibré, mais à quelqu'un qui sait parfaitement ce qu'il veut et qui procède avec une certaine méthode.

— Vous avez plus que moi l'expérience de ces choses, monsieur Poirot, dit Mrs Hubbard. Tout ce que je sais, c'est qu'elles me navrent ! Nos étudiants sont tous bien gentils et je me désole à la pensée qu'il y en a peut-être un, ou une, qui est... tout autre que je ne le vois !

Poirot était allé à la fenêtre. Il l'ouvrit et avança sur le balcon. Située sur l'arrière de la maison, la pièce dominait une cour étroite et sombre.

— J'imagine, dit-il, qu'on est plus tranquille par ici que dans les chambres donnant sur la rue ?

— Oui et non, répondit Mrs Hubbard. Hickory Road n'est pas tellement bruyant et, de ce côté-ci, la nuit, on a les chats qui font la sarabande et qui, dans leurs courses, renversent à grand fracas les couvercles des boîtes à ordures.

Poirot regardait en bas.

— Où est la chaufferie ?

— Là-bas, près de la cave à charbon.

Après un silence, Poirot posa une nouvelle question :

— Quels sont les autres pensionnaires de la maison de qui les fenêtres ouvrent par ici ?

— Nigel Chapman et Len Bateson, qui occupent la pièce à côté.

— Et ensuite ?

— Plus loin, c'est l'autre corps de bâtiment, avec les chambres des jeunes filles. D'abord, celle de la pauvre Celia, puis celle d'Elizabeth Johnston, puis celle de Patricia Lane. Les chambres de Valerie et de Jean Tomlinson donnent sur la rue.

Poirot revint à l'intérieur de la pièce. Il l'examina du regard.

— Ce garçon a de l'ordre, dit-il ensuite.

— Beaucoup, déclara Mrs Hubbard. On ne peut pas en dire autant de tous nos étudiants ! La chambre de Len Bateson, par exemple, c'est un taudis. Ça n'empêche pas Len d'être un brave petit !

— Ces sacs à dos, Mrs Hubbard, vous m'avez bien dit qu'ils proviennent d'un même magasin ?

— Oui. C'est tout près d'ici...

— Comment s'appelle-t-il, ce magasin ?

— Attendez que je réfléchisse !... Mabberley, je crois. A moins que ce ne soit Kelso... Vous me direz que Mabberley et Kelso, ça ne se ressemble guère... Mais, pour moi, ce n'est pas tout à fait vrai. Parce qu'il se trouve que j'ai connu des gens qui s'appelaient Kelso et d'autres qui s'appelaient Mabberley, et qui se ressemblaient terriblement.

— Je comprends, dit Poirot. Le mécanisme secret de l'association d'idées, c'est un problème qui m'a toujours fasciné !

Il alla jeter un dernier coup d'œil sur la cour, puis il prit congé de Mrs Hubbard et quitta la maison.

Il trouva sans aucune difficulté, dans Hickory Road même, le magasin dont Mrs Hubbard lui avait parlé. Le commerçant exposait dans ses vitrines tout l'équipement ordinaire du parfait campeur : des tentes, des bouteilles Thermos, des caleçons de bain, des lampes de bicyclette, des chemises d'une solidité à toute épreuve et des sacs à dos. Le nom qui s'inscrivait au fronton de la boutique n'était ni Mabberley, ni Kelso, mais Hicks. Poirot entra et expliqua qu'il désirait offrir un sac à dos à son neveu, fervent pratiquant de l'auto-stop

Le commerçant, un petit homme aimable de qui les cheveux avaient la couleur du sable, s'empressa, tout souriant.

— C'est une mode qui doit faire perdre de l'argent aux chemins de fer, dit-il, mais qui permet à nos jeunes gens de visiter l'Europe entière sans dépenser des fortunes ! Quel genre de sac à dos voulez-vous ? Un modèle ordinaire ?

— Je crois. Vous en avez un grand choix ?

— Nous avons des sacs extra-légers, spécialement étudiés pour les dames, mais voici l'article que je vous recommande : solide, bien compris, pratiquement inusable et, croyez-moi, véritablement avantageux.

Le sac qu'il soumettait à l'examen de Poirot était, autant que le détective en pouvait juger, une réplique exacte du sac de Colin Mac Nabb. Poirot posa quelques questions aussi oiseuses qu'inutiles, puis décida que l'objet lui convenait et tira son portefeuille.

— Vous ne regretterez pas votre achat, dit le commerçant, tout en faisant le paquet que Poirot allait emporter. C'est un article que nous vendons beaucoup.

— Il y a beaucoup d'étudiants dans le quartier, je crois ?

— Beaucoup. Des sacs comme celui-là, j'en ai vendu plusieurs aux jeunes gens qui habitent dans la pension à côté. Aux jeunes messieurs et aux jeunes filles aussi. Avant de partir en vacances, c'est ici qu'ils viennent. Je suis moins cher que les grands magasins, et ils le savent ! Voici, monsieur ! Je vous remercie et je suis sûr que votre neveu sera content.

Poirot sortit, son paquet sous le bras. Il avait à peine fait quelques pas dans la rue quand une main se posa sur son épaule. C'était celle de l'inspecteur Sharpe.

— Justement l'homme que je cherchais ! dit Sharpe.

— Flatté ! répondit Poirot. Alors, vous avez vu les pensionnaires de Mrs Vanilos ?

— Oui, mais je ne sais pas s'ils m'ont appris grand-chose. Je connais, près d'ici, un bar où l'on sert un café excellent. Si vous n'êtes pas trop pressé, nous pourrions nous y asseoir un instant. J'aimerais parler un peu avec vous...

L'établissement était presque désert. Les deux hommes s'installèrent à une table écartée et Sharpe fit à Poirot un récit détaillé des entretiens qu'il avait eus avec les hôtes de Hickory Road.

— Le seul d'entre eux contre lequel nous puissions retenir quelque chose, dit-il, c'est le jeune Chapman. Seulement, là, nous avons trop ! Trois poisons différents, c'est quand même beaucoup ! De plus, nous n'avons aucune raison de penser qu'il avait quelque grief contre Celia Austin et j'ai l'impression que, s'il était vraiment coupable, il ne m'aurait pas parlé si franchement de cette histoire de poisons.

— Laquelle laisse le champ libre aux hypothèses.

— Et il y en a ! Dire que ces drogues étaient dans le tiroir de ce jeune imbécile, à la portée de n'importe qui !

Sharpe rapporta ensuite sa conversation avec Elizabeth Johnston et les confidences que celle-ci avait reçues de Celia.

— Si Miss Johnston dit la vérité, les propos de Celia sont lourds de sens.

— Incontestable, dit Poirot.

L'inspecteur rappela la phrase même prononcée par Celia : « J'en saurai plus long demain ! »

— Pour elle, fit remarquer Poirot, demain ne devait jamais venir. Vous êtes content des résultats de votre perquisition ?

— Pas tellement. Encore qu'elle m'ait appris deux ou trois petites choses assez inattendues.

— Comme ?

— Saviez-vous que Miss Jonhston est du parti communiste ? Nous avons trouvé sa carte de membre.

— Intéressant, dit Poirot, songeur.

— J'ignorais ça, hier, quand je l'ai interrogée. C'est une fille qui a beaucoup de personnalité.

— Une très bonne recrue pour le parti, à n'en pas douter. Car elle est remarquablement intelligente.

— Au cours de notre entretien, reprit Sharpe, elle n'a pas fait allusion à ses sympathies politiques. Evidemment, qu'elle soit communiste, ça ne change rien... mais c'est bon à savoir !

— Et qu'avez-vous encore découvert ?

Sharpe haussa les épaules.

— Chez Patricia Lane, dans un tiroir, nous avons trouvé un mouchoir portant de larges traces d'encre verte.

Poirot fronça le sourcil.

— Ce qui donnerait à croire que c'est elle qui a répandu de l'encre sur les papiers d'Elizabeth Johnston. Elle se serait ensuite essuyé les mains avec son mouchoir. Mais...

Sharpe finit la phrase de Poirot.

— Mais, étant donné ses sentiments pour Chapman, on s'étonne qu'elle n'ait pas détruit ce mouchoir compromettant.

— Exactement. Il est vrai que ce mouchoir, c'est peut-être quelqu'un qui l'a mis dans son tiroir.

— Très possible.

— Et c'est tout ?

Sharpe réfléchit.

— A peu près, quand je vous aurai dit que le père de Len Bateson est interné au Longwith Vale Mental Hospital. Le fait ne présente pas un intérêt particulier...

— Mais il existe et il est bon de le connaître. Le père de Len Bateson est fou. Il serait intéressant de savoir exactement en quoi consiste sa folie.

— Oui, dit Sharpe. Bateson est un charmant garçon, mais très vif, très emporté...

Poirot contemplait la pointe de ses souliers. Il revoyait Celia Austin alors qu'il l'interrogeait dans la chambre de Mrs Hubbard. Parlant du sac à dos, elle lui avait dit : « Ça, ce n'est pas moi ! Il s'agissait d'un mouvement de colère !... » Comment le savait-elle ? Avait-elle surpris Bateson en train de lacérer le sac à dos ? Poirot s'arracha de ses réflexions. Sharpe continua de parler.

— Quant à Mr Achmed Ali, il avait en sa possession quelques livres résolument pornographiques et des cartes postales très suggestives. Ce qui explique qu'il ait hautement protesté contre notre perquisition.

— Il a été le seul ?

— Que non pas ! Il y a eu aussi une petite Française, de qui j'ai cru qu'elle allait nous faire une crise de nerfs, et également un Hindou, Mr Chandra Lal, qui nous menaçait de provoquer un incident diplomatique. Tout cela à cause de quelques brochures subversives qui traînaient dans ses papiers.

Et j'oubliais l'Africain, qui ne voulait pas nous laisser voir les curieux et macabres fétiches qu'il trans-
porte dans ses valises. Naturellement, vous savez ce
que nous avons découvert dans l'armoire de Mrs Vanilos ?

Les deux hommes échangèrent un sourire.

— Jamais je n'ai vu tant de bouteilles de cognac
vides ! reprit Sharpe. Elle nous aurait tués !

Il rit, puis il ajouta :

— L'ennui, c'est que nous n'avons pas trouvé ce
que nous cherchions. Des passeports, bien sûr, mais
tout est en règle !

— Vous n'espériez tout de même pas mettre la
main sur un faux passeport ? Au fait, vous n'auriez
pas, à propos d'un passeport justement, eu à rendre
une visite officielle au 26, Hickory Road... disons en
ces derniers mois ?

— Ma foi, non !

Sharpe rappela les différentes circonstances qui
avaient auparavant amené la police chez Mrs Vanilos.

Poirot écoutait, le front soucieux.

— Tout cela n'a ni queue ni tête ! dit-il, quand
l'autre eut terminé. Nous ne verrons clair dans cette
affaire que si nous commençons par le commencement.

— Et qu'est-ce que vous appelez le commencement, mon cher Poirot ?

— Le sac à dos, répondit le petit détective d'une
voix douce et assurée. Croyez-moi, mon cher ami,
tout commence par un sac à dos !

CHAPITRE XIV

1

Venant du sous-sol, où elle avait réussi à faire sortir de leurs gonds aussi bien le calme Geronimo que la tumultueuse Maria, Mrs Vanilos arrivait dans le vestibule, ravie du double résultat qu'elle venait d'obtenir.

— Des menteurs et des voleurs ! lança-t-elle d'une voix triomphante. Tous les Italiens sont des menteurs et des voleurs !

Descendant du premier étage, Mrs Hubbard eut un petit sourire navré.

— Dommage ! dit-elle. Pourquoi aller les exaspérer juste au moment où ils préparent le dîner ?

— Ça m'est bien égal ! riposta Mrs Vanilos. *Moi,* je ne dîne pas ici !

Mrs Hubbard garda pour elle la cinglante réplique qui lui était venue aux lèvres.

— Je viendrai lundi, comme d'habitude, annonça Mrs Vanilos.

— Bien, Mrs Vanilos.

— Vous voudrez bien faire réparer la porte de
mon armoire, première chose, lundi matin. Naturellement, la facture sera pour la police. Vous entendez !
Pour la police !

Mrs Hubbard, fort sceptique, resta muette.

— Et il faudra mettre des lampes électriques neu-
ves dans les couloirs. On n'y voit goutte ! Je veux
des lampes puissantes...

— Mais c'est vous-même qui, pour des raisons
d'économie...

— Je sais ! dit Mrs Vanilos d'un ton tranchant.
Seulement, c'était la semaine dernière. *Aujourd'hui*,
ce n'est plus pareil. Quand je tourne la tête, je suis
tout le temps en train de penser : « Mais qui est-ce
qui me suit comme ça ? »

Mrs Hubbard écoutait, se demandant si Mrs Vanilos se « faisait des idées », ou si vraiment elle avait
peur de quelqu'un ou de quelque chose.

— Vous êtes sûre, reprit-elle que vous avez raison
de rentrer seule chez vous ? Vous ne voulez pas que
je vous accompagne ?

— Je me sentirai plus en sécurité chez moi que
dans cette maison, c'est tout ce que je puis vous
dire !

— Mais que craignez-vous ? Si vous me le disiez,
je pourrais peut-être...

— Occupez-vous de vos affaires ! C'est insupporta-
ble, à la fin, cette façon de me questionner !

— Excusez-moi ! Je ne voulais pas...

— N'allez pas vous froisser, maintenant !

Dédiant à Mrs Hubbard son plus ravissant sourire,
Mrs Vanilos poursuivit :

— Il ne faut pas m'en vouloir ! Je suis vive, je
le sais... mais j'ai tant de soucis ! Vous savez bien
que vous avez toute ma confiance et que je me re-

pose entièrement sur vous. Ce que je deviendrais sans vous, ma chère Mrs Hubbard, je n'en sais rien ! Je vous souhaite un bon week-end et je me sauve. Au revoir !

Quelques secondes plus tard, la porte se refermait sur Mrs Vanilos. Mrs Hubbard soupira et s'en alla vers l'escalier descendant au sous-sol.

Dehors, Mrs Vanilos, la grille franchie, prit à gauche. Hickory Road était une voie assez large, bordée de maisons uniformément précédées d'un minuscule jardinet. Au bout de la rue, à quelques minutes de marche de la pension, il y avait un carrefour dont le principal ornement était un café, le Queen's Necklace. Mrs Vanilos allait d'un pas rapide, tenant le milieu du trottoir et se retournant de temps à autre pour regarder derrière elle, par-dessus son épaule. Elle constatait avec soulagement que nul ne la suivait. Son allure se précipita quand elle approcha du carrefour. Après un dernier coup d'œil derrière elle, vivement elle pénétra dans le café.

Quand elle eut trempé ses lèvres dans le double cognac qu'elle avait commandé, elle se sentit mieux. L'assurance lui était revenue. Elle n'avait plus peur, elle n'était plus la tremblante créature de tout à l'heure, mais une femme solide sur ses jambes, qui ruminait sa vengeance. Car les policiers lui paieraient le tour qu'ils lui avaient joué ! Devant un second double cognac, elle se reprit à méditer sur les événements de la journée. L'inspecteur était un goujat. Et il était vraiment fâcheux qu'il eût découvert son secret ! Car les étudiants seraient au courant avant longtemps, c'était à craindre ! Mrs Hubbard ne parlerait pas. Ce n'était pas sûr ! Et elle n'était pas seule à savoir ! Il y avait aussi Geronimo. Celui-là, impossible de compter sur sa discrétion ! Sans doute avait-il déjà tout raconté à sa femme. Celle-ci serait trop heureuse d'apprendre la nouvelle aux femmes de ménage et...

Une voix, dans son dos, la fit sursauter.

— Mrs Vanilos ? Je ne savais pas que vous veniez dans cette boîte ?

Elle se retourna vivement et poussa un soupir de soulagement.

— Ah ! c'est vous !... J'avais cru...

— Qu'est-ce que vous aviez cru ? Que j'étais le grand méchant loup ? Qu'est-ce que vous prenez ? C'est ma tournée !

Rassurée, Mrs Vanilos, sa dignité recouvrée du même coup, expliquait sa présence dans un café.

— Ce sont tous ces soucis ! Des policiers dans ma maison, qui importunent tout le monde, et moi pour commencer ! Alors que j'ai le cœur si malade... Je n'aime pas l'alcool, mais, dehors, j'ai failli me trouver mal. Alors, j'ai pensé qu'un petit cognac...

— Vous avez raison ! Le cognac, il n'y a rien de tel ! A votre santé, Mrs Vanilos !

Quand elle sortit du Queen's Necklace, quelques instants plus tard, Mrs Vanilos, tout à fait revigorée, avait repris goût à la vie. Elle décida de ne pas prendre l'autobus et de rentrer à pied. La soirée était belle et le grand air lui ferait du bien. Evidemment, elle le sentait à ses jambes un peu incertaines, elle avait probablement pris un cognac de plus qu'il eût fallu. Mais, après tout, pourquoi une dame n'aurait-elle pas le droit de s'offrir un petit alcool de temps à autre ? Au café ou chez elle ? Où était le mal ? Bien sûr, si elle était allée jusqu'à s'enivrer... Mais l'avait-on jamais vue ivre ? Non. Alors ? D'ailleurs, elle n'avait de comptes à rendre à personne et ceux à qui cela ne plaisait pas, elle aurait vite fait de les mettre au pas ! *Elle en savait des choses !* Elle n'aurait qu'à parler...

Elle releva brusquement le front, d'un air belliqueux, et dut faire un rapide pas de côté pour éviter de justesse une boîte aux lettres qui s'était précipitée sur elle à une allure inquiétante. Pas de doute, la tête lui tournait. Peut-être qu'en s'appuyant à un mur et en fermant les paupières, une minute ou deux...

L'agent Bott, qui de son pas balancé arpentait majestueusement le trottoir, fut abordé par un jeune homme d'aspect timide.

— C'est une femme, qui est écroulée là-bas, au pied du mur... Elle doit être malade.

L'agent suivit l'obligeant passant. Il se pencha sur la « malade » et, tout de suite renseigné par une forte odeur de cognac, il dit, ses soupçons confirmés :

— Elle est cuite ! Ne vous en faites pas ! On va s'occuper d'elle...

2

Son petit déjeuner dominical terminé, Hercule Poirot s'essuya la moustache et passa dans son cabinet de travail.

Sur la table s'alignaient, soigneusement disposés par George, conformément aux instructions qu'il avait reçues, quatre sacs à dos, tous encore pourvus de leur étiquette. Poirot déballa celui qu'il avait acquis la veille et le plaça à côté des autres. La comparaison ne manquait pas d'intérêt. L'article provenant de chez Mr Hicks semblait aussi beau que ceux que George avait trouvés dans d'autres magasins, mais il était sensiblement meilleur marché.

— Instructif, murmura Poirot.

Il examina les sacs, un à un, sous toutes les coutures. Après quoi, il retourna celui qu'il avait lui-même acheté et entreprit de l'éventrer à la base, avec avec un petit canif très pointu dont il se servait pour extirper ses cors. Entre la doublure et le fond, il y avait une pièce de toile, raide et plissée.

Poirot attaqua ensuite, de la même façon les autres sacs.

Puis il appela l'inspecteur Sharpe au téléphone.

— J'aurais, lui dit-il, un renseignement à vous demander.

— Allez-y !

— Vous m'avez dit, hier, que la police était allée à différentes reprises, en ces derniers mois, chercher des renseignements chez Mrs Vanilos. Ces visites, pourriez-vous me préciser les jours où elles ont eu lieu, et aussi à quelle heure elles ont été faites ?

— Je devrais pouvoir vous dire ça... Ça doit se trouver dans les dossiers. Une minute, voulez-vous ?

Bientôt, l'inspecteur revenait à l'appareil.

— La première visite à Hickory Road concernait la diffusion de tracts révolutionnaires par un étudiant hindou. Elle est du 18 décembre dernier, à trois heures trente de l'après-midi.

— Trop ancien ! dit Poirot.

— Deuxième visite, au sujet de Montagu Jones, Eurasien, recherché à l'occasion de l'assassinat à Cambridge de Mrs Alice Combe. Elle est du 24 février, à cinq heures trente du soir. La troisième a été motivée par une enquête sur un certain William Robinson, originaire d'Afrique occidentale, recherché par la police de Sheffield. Elle est, celle-là, du 6 mars, onze heures trente du matin.

— Je vous remercie.

— Mais je doute qu'il y ait aucun rapport entre ces affaires et celle qui nous intéresse.

— Je suis de votre avis, mais je voulais savoir à quelle heure ces visites ont eu lieu...

— Ah ! Qu'est-ce que vous avez donc en tête ?

— Moi ? Pour l'instant, je dissèque des sacs à dos. C'est extrêmement intéressant !

Délicatement, Poirot remit le récepteur sur son socle.

Puis il tira de son portefeuille la liste rectifiée que Mrs Hubbard lui avait remise la veille et qui s'établissait comme suit :

Sac à dos (appartenant à Len Bateson) ;
Ampoules électriques ;
Bracelet (de Geneviève) ;
Bague en diamant (appartenant à Patricia) ;
« Compact » de poudre de riz (de Geneviève) ;
Soulier de bal (de Sally) ;
Rouge à lèvres (à Elizabeth Johnston) ;
Boucles d'oreilles (appartenant à Valerie) ;
Stéthoscope (de Len Bateson) ;
Sels de bain (?) ;
Echarpe mise en pièces (appartenant à Valerie) ;
Pantalon (appartenant à Colin) ;
Livre de cuisine (?) ;
Acide borique (à Chandra Lal) ;
Broche fantaisie (appartenant à Sally) ;
L'encre renversée sur les notes d'Elizabeth.

Au bas de la page, Mrs Hubbard avait écrit : *Ce n'est peut-être pas absolument exact, mais j'ai fait de mon mieux.*

L. H.

Poirot étudia longuement le document, soupira, puis dit à mi-voix :

— Incontestable... Il faut éliminer ce qui ne compte pas.

Pour cela, quelqu'un pouvait l'aider, et il savait qui. Il reprit le téléphone, appela le 26 Hickory Road et demanda à parler à Valerie Hobhouse. Bientôt, la jeune fille venait à l'appareil.

— Allô ! Ici, Valerie Hobhouse.

— Ici, Hercule Poirot. Vous vous souvenez de moi ?

— Naturellement. Que puis-je pour vous ?

— J'aimerais avoir avec vous, si c'était possible, une petite conversation.

— Mais quand vous voudrez, monsieur Poirot !

— Puis-je venir maintenant ?

— Certainement ! Je vous attends. Je vais dire à Geronimo de vous mener directement à ma chambre. Le dimanche, nous ne serions pas tranquilles ailleurs.

— Merci infiniment, Miss Hobhouse. J'arrive.

Geronimo accueillit Poirot avec son plus aimable sourire et, mettant un doigt sur ses lèvres, avec des airs de conspirateur, conduisit le détective au premier étage.

La chambre de Valerie Hobhouse, dont les fenêtres ouvraient sur la rue, était vaste et meublée avec goût. Poirot remarqua le tapis persan, usé mais fort beau, jeté sur un divan-lit, et surtout un secrétaire en noyer du temps de la reine Anne, qui ne faisait certainement pas partie du mobilier original de la pension.

Valerie s'était levée pour recevoir Poirot. Elle avait des cernes noirs sous les yeux et il lui trouva l'air fatigué.

— Vous êtes très bien installée, dit-il après l'avoir saluée. La pièce a de l'allure...

Valerie sourit.

— Je suis ici depuis longtemps. Deux ans et demi, presque trois ans... Alors, j'ai apporté des affaires qui sont à moi...

— Vous n'êtes pas étudiante, si je me souviens bien ?

— Non. Je travaille.

— Dans un institut de beauté, je crois ?

— Exactement. Je suis une des acheteuses de Sabrina Fair. Je suis même intéressée dans l'affaire, très modestement d'ailleurs. Nous nous occupons surtout de produits de beauté, mais nous faisons aussi les colifichets féminins, l'article de Paris. C'est plus spécialement mon rayon.

— Vous allez souvent à Paris ?

— Tous les mois. Parfois, même, plus souvent.

— Vous me pardonnerez ma curiosité...

— Très certainement. Dans les circonstances présentes, elle n'est que trop naturelle et j'ai, hier, répondu à je ne sais combien de questions de l'inspecteur Sharpe. Asseyez-vous, monsieur Poirot ! J'imagine que vous préférerez ce fauteuil un peu haut à celui-ci, qui est très bas ?

— Vous êtes très perspicace, Miss Hobhouse.

Poirot s'installa confortablement, cependant que Valerie s'asseyait sur le divan-lit. Elle lui offrit une cigarette, en prit une elle-même et l'alluma. Il la regardait avec attention. Elle était jolie et sympathique.

— Ainsi, dit-il, l'inspecteur Sharpe vous a posé des questions ?

— Et beaucoup !

— Et vous lui avez dit tout ce que vous savez ?

— Naturellement.

— Je me demande si c'est bien vrai, ça !

Elle posa sur lui un regard ironique.

— Etant donné que vous ignorez ce que je lui ai répondu, je ne vois pas ce qui vous permet de dire ça !

— J'ai mes petites idées à moi, voyez-vous ! Elles sont là-dedans.

Doucement, de son index replié, Poirot se frappait le front. Encore une fois, fidèle à ses habitudes, il jouait la comédie. Valerie, pourtant, ne sourit pas. Le regardant bien en face, elle dit, avec une certaine brusquerie :

— Si nous en arrivions à ce qui vous amène, monsieur Poirot ? Où voulez-vous en venir ?

— Soit !

Il tira de sa poche un petit paquet.

— Vous savez ce qu'il y a là-dedans, Miss Hobhouse ?

— Je ne suis pas une voyante extra-lucide, monsieur Poirot.

— J'ai là, Miss Hobhouse, la bague qui a été volée à Miss Patricia Lane.

— La bague de fiançailles de Patricia ? Je veux dire de sa mère... Mais comment se fait-il qu'elle soit en votre possession ?

— J'ai demandé à Miss Lane de me la prêter pour un jour ou deux.

Le visage de Valerie reflétait une surprise qu'elle eût vainement essayé de dissimuler.

— Cette bague m'intéressait, poursuivit Poirot. Parce qu'elle avait disparu, parce qu'elle avait été retrouvée et, aussi, pour une autre raison. Alors, j'ai prié Miss Lane de me la confier et je l'ai montrée à un joaillier de mes amis.

— Pourquoi ?

— Pour qu'il examine le diamant. C'est une assez grosse pierre, si vous vous souvenez, entourée de plusieurs autres, toutes petites. Vous vous rappelez ?

— Pas très bien, je l'avoue !

— Pourtant, cette bague, vous l'avez eue entre les mains ! C'est dans votre assiette qu'elle a été retrouvée.

— C'est exact ! Un peu plus, je l'avalais !

Valérie eut un petit rire.

— J'ai donc fait voir la bague à mon ami le joaillier et je lui ai demandé ce qu'il pensait du diamant. Savez-vous ce qu'il m'a répondu ?

— Comment le devinerais-je ?

— Il m'a répondu que cette pierre n'était pas un diamant, mais un zircon. Un zircon blanc.

— Oh !

La jeune fille semblait très surprise. D'une voix manquant d'assurance, elle dit :

— Ainsi, d'après vous, Patricia croyait que c'était un diamant, alors qu'il s'agissait seulement...

Poirot secoua la tête.

— Ce n'est pas du tout ce que je pense ! Il s'agit, ne l'oublions pas, de la bague de fiançailles de la mère de Miss Lane. Si je suis bien informé, Miss Lane est d'excellente famille et elle appartient à un milieu où l'usage n'est pas d'offrir des bijoux en toc. Je suis sûr que le papa de Miss Lane a choisi, pour sa fiancée, une bague de prix.

— J'en suis convaincue, dit Valérie. Le père de Patricia était, je crois, un petit squire campagnard.

— Il semble donc qu'on a remplacé la pierre originale par une autre.

— Pat aura perdu le diamant et, n'ayant pas le moyen d'en acheter une autre, elle se sera contentée d'un zircon.

— Hypothèse vraisemblable, mais dont je doute qu'elle corresponde à la réalité.

— Ah ! Alors, d'après vous, que se serait-il passé ?

— Je pense, dit Poirot, que la bague a été prise par Miss Celia et que le diamant a été desserti et remplacé par un zircon avant la restitution du bijou.

Le regard de Valerie ne fuyait pas celui du détective.

— Vous croyez donc que Celia aurait volé le diamant ?

— Non, mademoiselle. Je pense que *c'est vous* qui l'avez volé.

Valerie eut un haut-le-corps.

— Oh ! C'est insensé ! Rien ne vous permet de porter contre moi une telle accusation !

— Il se trouve que si, répondit Poirot d'une voix égale. J'ai des preuves. C'est dans une assiettée de potage que la bague a reparu. Or il m'est arrivé, une fois, de dîner ici et j'ai remarqué comment on y servait le potage. La soupière est placée sur une petite table. D'où il suit que, si l'on découvre une bague dans une assiette, elle ne peut avoir été mise là que par la personne qui sert le potage, en la circonstance Geronimo, ou par celle qui se sert de cette assiette, en l'occurrence, *vous* ! Je ne crois pas à la culpabilité de Geronimo. Je pense que c'est vous qui, pour faire reparaître la bague, avez imaginé cette mise en scène, dont je reconnais qu'elle n'est pas dépourvue d'originalité. Vous retrouvez la bague ! Vous poussez une exclamation de surprise ! Vous jouez la comédie, vous vous amusez ! Votre sens de l'humour a dû être très agréablement chatouillé par ce petit sketch. Seulement, ce faisant, vous vous trahissiez !

— C'est tout ? demanda Valerie d'un ton dédaigneux.

— Oh ! non. Il s'en faut de beaucoup ! Vous comprenez, Miss Hobhouse, le soir où Celia a reconnu ses vols, j'ai tout de même fait quelques petites observations. Par exemple, parlant de la bague, elle a dit : « C'était une erreur ! Quand je me suis rendu compte qu'elle avait de la valeur, je me suis arrangée pour la rendre. » Cela, Miss Valerie, comment le savait-elle ? Qui lui avait dit que cette bague était un bijou de prix ? Peu après, comme il était question de cette écharpe qui a été déchirée, elle a dit quelque chose comme : « Ça, Valerie, ça lui était égal !... » On mettait en pièces une belle écharpe vous appartenant et ça vous était égal ? J'ai trouvé ça curieux et, dès ce moment, j'ai eu l'impression que Celia qui n'avait commis ses vols que parce qu'elle espérait ainsi attirer sur elle l'attention de Colin, avait agi *à l'instigation de quelqu'un*, et de quelqu'un de beaucoup plus intelligent qu'elle. C'est *vous* qui lui avez dit que la bague avait de la valeur et que, si elle vous la remettait, vous vous arrangeriez pour la restituer. Et c'est vous également qui lui avez suggéré de mettre votre écharpe en lambeaux.

Valerie haussa les épaules.

— Hypothèses, tout ça ! Et bien tirées par les cheveux ! L'inspecteur a déjà essayé de me faire admettre que c'était moi qui poussais Celia à voler.

— Et qu'est-ce que vous lui avez dit ?

— Que ça ne tenait pas debout !

— Et que me dites-vous, à moi ?

Les yeux de la jeune fille restèrent un long moment fixés sur le détective. Puis, riant, elle écrasa le bout de sa cigarette dans un cendrier et, se renversant sur les coussins, elle dit :

— Vous avez raison, monsieur Poirot, c'est moi qui l'ai poussée !

— Puis-je vous demander pourquoi ?

— Pourquoi ? répondit-elle avec impatience. Sim-

plement parce que je suis trop bonne et que, pour
faire plaisir aux gens, je me mêle de ce qui ne me
regarde pas ! Celia était là, toute pâlotte, à se consu-
mer pour ce crâneur de Colin, qui ne lui accordait
jamais un coup d'œil. J'ai trouvé ça *idiot*. Colin est
un de ces intellectuels prétentieux qui passent leur
temps à discuter psychologie, complexes et blocs émo-
tionnels et je me suis dit qu'il serait drôle de le rendre
ridicule. Et puis, de toute façon, j'étais furieuse de
voir Celia malheureuse ! Alors, j'ai eu une longue
conversation avec elle, je lui ai expliqué mon plan
et je lui ai conseillé de ne pas tergiverser. Pourquoi
attendre ? L'aventure la tenait, tout en lui faisant
un peu peur. Et là-dessus, presque pour commencer,
cette pauvre sotte ne trouve rien de mieux que de
s'emparer de la bague que Pat avait oubliée dans la
salle de bains ! Juste ce qu'il fallait pour tout gâcher
en provoquant l'intervention de la police ! C'est qu'il
s'agissait d'un bijou de prix, avec lequel l'affaire
pouvait prendre un tour sérieux. J'ai donc dit à Celia
de me remettre la bague, que je trouverais bien un
truc pour la rendre, et je lui ai recommandé de
s'en tenir à l'avenir à de petits vols qui ne lui feraient
courir aucun risque. Du même coup, je lui ai conseillé
de détruire, comme pour le plaisir, quelque chose
qui m'appartiendrait...

Poirot poussa un profond soupir.

— Exactement ce que je pensais ! dit-il.

— Maintenant, reprit Valerie, je regrette. Mais,
très sincèrement, je croyais bien faire. C'est une
chose horrible à dire, je le sais ; Jean Tomlinson ne
parlerait pas autrement, mais c'est comme ça !

— Revenons à la bague ! dit Poirot. Celia vous
l'a remise. Vous deviez la retrouver par hasard et

la restituer à Patricia. Bon ! Mais, *avant* qu'elle ne revînt à Patricia, que s'est-il passé ?

Il attendit. Les doigts de Valerie plissaient et déplissaient nerveusement l'extrémité de l'écharpe qu'elle avait sur les épaules.

La voix de Poirot se fit persuasive.

— Vous aviez besoin d'argent ? C'est bien ça ?

De la tête, sans le regarder, elle répondit que oui, puis elle parla.

— Je vais tout vous dire, monsieur Poirot. Le malheur, voyez-vous, c'est que je suis une joueuse. Cette passion-là, on l'a dans le sang et il n'y a rien à faire ! Je fréquente un petit club de Mayfair. Ne me demandez pas où, je ne vous le dirai pas ! Je ne veux pas être responsable d'une descente de police ou de quelque chose d'analogue. Qu'il vous suffise de savoir que c'est un tripot, avec roulette et baccara et tout ce que vous pouvez imaginer, et qu'on m'y voit régulièrement. Je traversais une passe noire : pertes sur pertes. Et voilà que, passant devant une bijouterie, alors que j'avais sur moi la bague de Pat, j'aperçois une bague avec un zircon ! Une idée, tout de suite, me vient à l'esprit. « Si le diamant de sa bague était remplacé par un zircon, Pat verrait-elle la différence ? » Réponse : non. Une bague qui vous appartient, qu'on connaît bien, on ne la regarde jamais avec attention. Le diamant vous paraît terne ? C'est qu'il a besoin d'être nettoyé ! On ne cherche pas plus loin. Bref, j'ai desserti le diamant, je l'ai vendu, je l'ai fait remplacer par un zircon et, le même jour, j'ai fait semblant de retrouver la bague dans mon potage. Ce n'était pas malin, j'en conviens ! Maintenant, vous savez tout ! Ce que je tiens bien à préciser, parce que c'est la vérité, c'est que je n'ai jamais eu l'intention de faire croire que c'était Celia qui avait fait changer la pierre.

Poirot hocha la tête.

— Je vous crois. Une occasion s'est présentée, vous l'avez saisie. Il reste que vous avez commis une fichue bêtise !

— Je m'en rends compte, dit-elle sèchement.

Puis, sur un tout autre ton, désolé, celui-là, elle poursuivit :

— Mais quelle importance tout cela peut-il bien avoir maintenant ? Livrez-moi à la police, si cela vous amuse ! Racontez tout à Pat ! A l'inspecteur, au monde entier ! Vous serez bien avancé ! Est-ce que c'est cela qui vous aidera à découvrir l'assassin de Celia ?

Poirot se leva.

— Ce qui sera utile et ce qui ne le sera pas, dit-il, on ne le sait jamais ! Pour progresser, il faut déblayer le chemin. Il était important pour moi qui avais incité la petite Celia à jouer les kleptomanes. Maintenant, je suis renseigné là-dessus. Pour ce qui est de la bague, je vous conseillerais d'aller trouver Miss Patricia Lane, de tout lui raconter... et de lui exprimer tels sentiments que vous jugerez de circonstance.

Valerie fit la grimace.

— Malgré tout, dit-elle, je crois que le conseil est bon. Soit ! Je verrai Pat et je boirai le calice. Pat est une fille qui comprend. Je lui dirai que je lui offrirai un autre diamant, tout pareil, dès que je le pourrai. C'est bien ce que vous voulez, monsieur Poirot ?

— Moi, je ne veux rien. Je vous dis ce qu'il serait bon de faire, c'est tout...

La porte s'ouvrit brusquement, devant Mrs Hubbard. La vieille dame, hors d'haleine, semblait bouleversée. Valerie alla à elle.

— Qu'est-ce qu'il se passe, Ma ?

Mrs Hubbard s'écroula dans un fauteuil.

— C'est Mrs Vanilos !

— Mrs Vanilos ? Qu'a-t-elle fait encore ?

— Ah ! ma pauvre enfant !... Elle est *morte !*

— Morte ?... Où ?... Quand ?

— Il paraît qu'elle a été ramassée dans la rue, hier soir. On l'a transportée au commissariat. On croyait qu'elle était... qu'elle était...

— Ivre, j'imagine ?

— Oui... Effectivement, *elle avait bu*... Et elle est morte !

— Pauvre vieille Mrs Vanilos !

Valerie avait dit cela d'une voix émue, qui tremblait un peu.

— Vous l'aimiez bien ? lui demanda Poirot.

— C'est bizarre, car elle pouvait être terriblement chameau, mais... oui !... Quand je suis arrivée ici, il y a trois ans, elle n'avait pas le caractère épouvantable que nous devions lui connaître par la suite. Elle était sociable, amusante, gentille... Elle avait beaucoup changé l'année dernière...

Valerie se tourna vers Mrs Hubbard.

— Probablement, poursuivit-elle, parce qu'elle s'était mise à boire... On a trouvé pas mal de bouteilles dans sa chambre, il paraît ?

— Oui.

Après une hésitation, Mrs Hubbard ajouta :

— Si vous saviez comme je m'en veux !... Je n'aurais pas dû la laisser partir seule hier soir !... Elle avait peur de quelque chose...

— Peur ?

Poirot et Valerie avaient prononcé le mot ensemble.

— Oui, dit Mrs Hubbard. Elle ne cessait de répéter qu'elle ne se sentait pas en sécurité, qu'elle était inquiète. Je lui ai demandé ce qu'elle redoutait... et elle m'a envoyé promener ! Avec elle, il fallait toujours faire la part de l'exagération, mais, maintenant, je ne sais pas si...

Mrs Hubbard n'acheva pas sa phrase. Valerie se pencha vers elle.

— Vous ne pensez pas qu'elle aurait été...

Elle ne put aller plus loin. Elle était blême.

— D'après la police, demanda Poirot, quelle est la cause de la mort ?

Mrs Hubbard répondit d'une voix éteinte :

— On ne me l'a pas dit... Il y aura une enquête... Elle aura lieu mardi...

CHAPITRE XV

Dans un calme bureau de New Scotland Yard quatre hommes étaient assis autour d'une table ronde.

La conférence était présidée par le commissaire Wilding, de la brigade des stupéfiants. Il avait à sa droite le sergent Bell, un jeune officier au visage énergique, à sa gauche, bien calé dans son fauteuil, l'inspecteur Sharpe et, en face de lui, Hercule Poirot. Sur la table, il y avait un sac à dos.

Pensif, le commissaire Wilding se tapota le menton de l'index, puis il émit une opinion prudente.

— C'est une idée intéressante, monsieur Poirot. Oui, une idée intéressante...

— Je précise, dit Poirot, que ce n'est qu'une idée. Wilding approuva du chef.

— Sous une forme ou sous une autre, déclara-t-il ensuite, la contrebande ne cesse jamais. Nous liquidons une bande, le trafic s'interrompt pendant un certain temps, puis il reprend ailleurs. En ce qui concerne les stupéfiants, il est certain qu'il en est entré de grandes quantités en Angleterre depuis un an et demi : de l'héroïne surtout, et aussi beaucoup de cocaïne. Il y a des dépôts disséminés dans le pays, en Angleterre aussi bien qu'en France. La police française est assez bien renseignée sur quelques-uns des chemins que suit la drogue pour entrer en France, mais elle sait moins comment elle en sort.

— Me trompé-je, demanda Poirot, en disant que le problème est triple ? Il y a, si je vois les choses exactement, un problème de distribution, distinct du problème de l'importation, et non moins de celui qui concerne la direction du trafic, ceux qui organisent le marché étant aussi ceux qui encaissent la majeure partie des bénéfices.

— En gros, répondit Wilding, c'est tout à fait cela. Nous connaissons pas mal de petits distributeurs et nous savons comment ils opèrent. Nous coffrons les uns et nous laissons les autres en liberté, dans l'espoir qu'ils nous conduiront au gros gibier. Le commerce de la drogue se fait partout, dans les boîtes de nuit, dans les cafés, sur les champs de courses, chez les antiquaires, dans les grands magasins, ailleurs encore, et les placiers vont du voyou traditionnel au médecin marron en passant par le coiffeur pour dames, et parfois par le couturier. Je n'insiste pas, vous savez tout cela, et tous ces gagne-petit, nous les tenons à peu près en main. Quant à ceux qui représentent ce que j'ai appelé tout à l'heure le gros gibier, nous avons sur l'identité de la plupart d'entre eux des renseignements souvent précis. Il y a, dans le nombre, deux ou trois gentlemen richissimes... et insoupçonnables. Ils sont d'une rare prudence, ils ne manipulent jamais un gramme de drogue et, bien entendu, le menu fretin ne les connaît pas. Seulement, il arrive que, de temps à autre, l'un d'eux commette une erreur... et alors, nous le coiffons !

— Tout cela, dit Poirot, correspond assez à ce que j'imaginais. Ce qui m'intéresse surtout, c'est l'importation de la drogue. Comment entre-t-elle en Angleterre ?

— Nous sommes sur une île. Alors, généralement, on s'en tient à la tradition et la marchandise arrive par mer. Elle est apportée par un cargo, qui s'en va mouiller quelque part sur la côte orientale, ou par un simple canot à pétrole qui, après avoir tranquillement traversé la Manche, va se cacher dans quelque petite crique de la côte Sud. Le jour finit toujours par arriver où un renseignement nous parvient. A partir de ce moment-là, ou le type se méfie et il cherche une autre combinaison, ou il ne se doute de rien... et c'est tant pis pour lui ! Une fois ou deux, nous avons saisi de la drogue sur des avions assurant les services internationaux. Il y a de l'argent à gagner et les stewards sont parfois accessibles à la tentation. Enfin, il y a aussi les grandes maisons qui travaillent avec l'étranger et qui vous importent des pianos de concert et je ne sais trop quoi encore. Comme il s'agit de firmes honorablement connues, avec elles, ce petit trafic peut durer un certain temps. Mais, là aussi, il trouve sa fin, un jour ou l'autre !

— Vous êtes bien d'avis que, dans ce genre de commerce, la difficulté majeure consiste à introduire la marchandise en Angleterre ?

— Sans aucun doute. Et je ne vous cacherai pas que, depuis quelque temps, l'importation des stupéfiants prend des proportions inquiétantes.

— Et les pierres précieuses ?

Ce fut le sergent Bell qui répondit à la question de Poirot.

— Les pierres, expliqua-t-il, font l'objet d'une contrebande intense. Venant d'Australie, de l'Afrique du Sud et aussi d'Extrême-Orient, des diamants et d'autres pierres entrent dans ce pays, sans que nous sachions comment. Il y a quelque temps, une jeune femme qui se trouvait en France, en simple touriste, accepte, pour rendre service à une amie de rencontre, de rapporter en Angleterre une paire de souliers, non pas neuve et donc soumise à des droits de douane, mais usagée, une paire oubliée à l'hôtel, dans la précipitation du départ. Heureusement, nous étions sur l'affaire. Les talons étaient creux et contenaient des diamants bruts.

— Je vous demande pardon, monsieur Poirot, dit le commissaire Wilding, mais qu'est-ce qui vous intéresse ? La drogue ou les pierres ?

— La drogue et les pierres, répondit le détective. En fait, tout ce qui représente une valeur considérable sous un volume réduit. J'ai l'impression qu'il pourrait être d'un bon rapport d'organiser, entre l'Angleterre et la France, une sorte de service de fret, ainsi que je vous le disais tout à l'heure. On exporterait des bijoux volés, des pierres démontées et on importerait des stupéfiants et des pierres brutes. Il s'agirait d'une petite agence indépendante, travaillant à la commission et ne s'occupant pas de la distribution. Je crois qu'elle réaliserait de jolis bénéfices.

— Là-dessus, aucun doute ! Qu'il s'agisse de pierres brutes ou d'héroïne, il ne faut pas beaucoup de place pour loger un paquet valant vingt milles livres sterling.

— La faiblesse d'une organisation de contrebande, reprit Poirot, c'est toujours l'élément humain. Tôt ou

tard, les soupçons portent sur *un individu,* le steward
d'un avion, un amateur de yatching qui possède un
cruiser, une dame qui se rend en France un peu
souvent, un importateur qui semble gagner plus d'argent qu'il est normal ou un monsieur, notoirement
sans ressources, qui mène grand train. Mais que la
marchandise soit introduite en Angleterre par une
personne qui ignore qu'elle fait de la contrebande,
mieux, *que cette personne ne soit jamais la même,*
et il devient terriblement difficile de rien découvrir !

Du doigt, Wilding montra le sac à dos.

— Et le moyen employé, ce serait ça ?

— Oui. Quelle est, à l'heure actuelle, la personne qui risque le moins d'être suspecte ? L'étudiant. Il travaille, il n'est pas riche, il a tout son
bagage sur le dos et c'est en faisant de l'auto-stop
qu'il parcourt l'Europe. Evidemment, si la marchandise était toujours introduite par le même étudiant,
vous finiriez par le repérer ! Mais l'astuce consiste
justement en ceci que les transporteurs ne savent
rien et qu'ils sont nombreux.

Wilding se frotta la joue.

— D'après vous, monsieur Poirot, comment cette
organisation fonctionne-t-elle ?

— Je crois l'avoir deviné, répondit le détective,
mais il est très probable que je me trompe sur bien
des points de détail. Quoi qu'il en soit, voici, en
gros, comment les choses doivent se passer. On commence par mettre sur le marché un lot de sacs à
dos. Ils sont du modèle courant, solides et bien
adaptés à leur objet. Ils ne se différencient des autres
sacs à dos que par la toile qui les renforce dans le
fond. Bien que placée sous la doublure, elle est
facile à enlever et son épaisseur permet de cacher
dans les plis de petits rouleaux de pierres ou des

paquets de drogue. A moins de savoir qu'ils sont là, on ne devinera pas leur présence. Et le chargement vaudra d'être emporté !

Wilding palpa le fond du sac.

— Ce n'est que trop vrai ! On pourrait dissimuler là-dedans cinq à six mille livres sterling de cocaïne et d'héroïne.

— Les sacs, donc, sont mis en vente, probablement dans plusieurs magasins. Le détaillant est complice ou ne l'est pas. Il se peut très bien qu'on lui ait simplement fait un prix qui le pousse à vendre ces sacs de préférence à d'autres, uniquement parce que ce sera son intérêt de commerçant. Naturellement, dans la coulisse, il y a toute une organisation qui tient à jour des listes d'étudiants fréquentant l'université, aussi bien à Londres qu'ailleurs. Des étudiants vont sur le Continent. Au cours du voyage de retour, le sac à dos de l'un d'eux est remplacé par un autre, d'apparence identique. L'étudiant rentre en Angleterre. A la douane, son bagage n'est visité que pour la forme. Il regagne son hôtel, vide son sac à dos et le jette au fond d'un placard ou dans un coin de sa chambre. Une seconde substitution et le tour est joué ! Il se peut même qu'il n'y ait pas un nouvel échange et qu'on se contente d'extraire la toile pour la remplacer par une autre, innocente celle-là.

— C'est ainsi, selon vous, que les choses se seraient passées à Hickory Road ?

— Je le crois.

Poirot avait accompagné sa réponse d'un énergique mouvement de tête.

— Mais, reprit Wilding, à supposer que vous ayez raison, qu'est-ce qui vous a mis sur la voie ?

— Un sac à dos avait été lacéré, répondit le détective. Pourquoi ? Le mobile n'était pas évident, il
fallait en imaginer un. Les sacs à dos qui entrent à
Hickory Road présentent une particularité curieuse :
ils ne sont pas vendus à leur prix, mais très au-
dessous. Hickory Road avait été le théâtre d'événements singuliers, des vols commis par une jeune
fille. Elle avait avoué, mais elle avait aussi juré que
ce n'était pas elle qui avait mis ces sacs en pièces.
Puisqu'elle reconnaissait les autres méfaits, on pouvait admettre qu'elle disait la vérité. Donc, quelqu'un — et ce n'était pas elle — avait détruit ce
sac à dos. Encore une fois, pourquoi ? Mettre en
morceaux un sac de ce genre, c'est une besogne
malaisée, vous pouvez m'en croire ! Pour l'entrepren-
dre, il fallait vraiment y être forcé. Je commençai à
entrevoir la vérité quand j'appris que ce sac à dos
avait été lacéré, probablement — je dis « probablement », parce que les témoignages sont souvent assez
vagues quand ils portent sur des faits vieux de quelques mois déjà — probablement, donc, le jour où un
officiel de police avait rendu visite à la personne di-
rigeant la maison. Il venait la voir pour tout autre
chose, mais... raisonnons ! Vous appartenez à l'organisation de contrebande en question. Ce soir-là,
quand vous rentrez, on vous apprend qu'il y a un
policier au premier étage, en conférence avec
Mrs Hubbard. Vous présumez tout de suite que le
trafic dont vous vous occupez est découvert et qu'une
enquête commence. Supposons qu'à ce moment-là *il
y a dans la maison un sac*, tout récemment rapporté
du Continent et contenant — ou ayant contenu —
une marchandise « dangereuse ». N'est-il pas logique de penser que la police, si elle soupçonne quel-

que chose, n'est venue à Hickory Road que pour se
faire montrer les sacs à dos des pensionnaires ? Sortir de la maison avec le sac à dos compromettant,
vous ne vous y risquerez pas. L'immeuble est sur-
veillé, c'est probable, justement pour le cas où
quelqu'un chercherait à évacuer un sac comprome-
tant, et un « meuble » comme celui-ci ne se dissi-
mule pas facilement. Il ne vous reste qu'une chose à
faire : lacérer le sac et jeter les morceaux dans le
bric-à-brac qui se trouve dans la chaufferie. La drogue, si elle est encore dans la maison, on peut la
cacher provisoirement dans une boîte de sels de bain.
Il en va de même des pierres. Mais le sac, sur lequel
au laboratoire on retrouverait sans doute des traces
de cocaïne ou d'héroïne, il est absolument nécessaire
de le détruire. Qu'en pensez-vous ?

— Comme je l'ai déjà dit, répondit Wilding, c'est
une idée.

— Il semble également, reprit Poirot, que pourrait se rattacher à cette histoire de sac un petit
incident jusqu'à présent considéré comme sans importance. D'après les déclarations de Geronimo, le
domestique italien, l'ampoule électrique du vestibule
a disparu le jour — ou l'un des jours — où la police
s'est rendue à Hickory Road. Geronimo alla au tiroir où il savait devoir trouver des lampes de rechange. Il les avait vues, la veille ou l'avant-veille.
Il n'y en avait plus une seule ! Il se peut — c'est une
simple hypothèse et je vous la donne pour ce qu'elle
vaut — il se peut que ces lampes, celle du vestibule
et les autres aient été escamotées par quelqu'un qui
ne se sentait pas la conscience tranquille, sans doute
parce que mêlé à ce trafic de contrebande, et qui
craignait d'être reconnu par les policiers, si ceux-ci
voyaient son visage en pleine lumière. Avec un

éclairage aux bougies, les risques diminuaient. Je le répète, il ne s'agit là que d'hypothèses.

— Très ingénieuses, en tout cas, déclara Wilding.

— Et surtout très plausibles, s'empressa d'ajouter le sergent Bell. Plus j'y songe et plus je crois que M. Poirot est très près de la vérité !

— Auquel cas l'affaire ne concernerait pas seulement Hickory Road ?

— C'est bien mon avis, dit Poirot. L'organisation s'intéresse certainement à d'autres pensions et à des clubs d'étudiants vraisemblablement nombreux.

— Alors, fit remarquer Wilding, il doit y avoir quelqu'un qui assure la liaison ?

Pour la première fois, l'inspecteur Sharpe intervint dans la conversation.

— Ce quelqu'un, dit-il, je crois le connaître. C'est — ou plutôt c'était — une femme qui s'occupait de différentes maisons d'étudiants... et qui était aussi chez elle au 26 Hickory Road : Mrs Vanilos.

Wilding interrogea Poirot du regard.

— Tout à fait d'accord ! répondit le détective. Ces pensions et ces clubs d'étudiants, Mrs Vanilos en tirait des bénéfices, mais elle ne les dirigeait pas elle-même. Elle plaçait aux commandes des personnes d'une honorabilité incontestée, comme mon amie Mrs Hubbard. Elle se contentait, elle, d'apporter l'argent et j'ajouterai que vraisemblablement elle n'était qu'un prête-nom, les fonds étant en réalité fournis par quelqu'un d'autre.

— Il serait intéressant, dit Wilding, d'en savoir un peu plus sur cette Mrs Vanilos.

Sharpe acquiesça d'un mouvement de tête.

— Nous nous en occupons, déclara-t-il. Nous nous renseignons sur ses antécédents, mais nous menons notre enquête avec la plus grande discrétion, afin de ne pas effrayer le gibier. Ses finances nous intéressant aussi. Vous savez qu'elle était terrible quand elle s'y mettait ?

Brièvement, Sharpe raconta comment elle l'avait reçu quand il s'était présenté à elle avec un mandat de perquisition.

— Vous avez découvert qu'elle buvait ? dit Wilding. Ça doit vous faciliter la tâche ! Vous l'avez bouclée ?

— Non, monsieur. Elle est morte.

Le commissaire fronça le sourcil.

— Morte ?... De sa belle mort ?

— Nous le saurons après l'autopsie, mais, personnellement, je ne le crois pas. Je pense qu'elle avait commencé à flancher. On peut ne pas vouloir aller jusqu'à l'assassinat...

— Vous faites allusion au meurtre de Celia Austin ? La petite savait-elle quelque chose ?

Ce fut Poirot qui répondit.

— Oui, elle savait quelque chose. Mais, peu intelligente, incapable de tirer des faits leur conclusion logique, elle ne se rendait vraisemblablement pas compte de l'importance de ce qu'elle avait découvert. Elle avait vu ou entendu quelque chose... et elle a eu la maladresse de le laisser savoir.

— Vous n'avez aucune idée de ce qu'elle pouvait avoir vu ou entendu ?

— Je puis faire des suppositions, c'est tout ! Il a été question d'un passeport. Y avait-il dans la maison quelqu'un qui, sous le couvert d'un faux passeport, faisait, sous un nom supposé, de fréquents voyages sur le Continent ? Cette personne eût-elle été en très mauvaise posture si la chose était venue à se savoir ? Celia Austin avait-elle vu quelqu'un enlever la toile d'un sac à dos, sans d'ailleurs comprendre ce que ce quelqu'un était en train de faire ? Etait-elle là quand on a retiré la lampe électrique du vestibule ? Et, sans soupçonner la gravité de ce qu'elle avait appris, en a-t-elle trop dit devant celui — ou celle — en présence de qui il eût justement fallu avoir l'air de ne rien savoir ? Autant d'hypothèses ! Et qui finissent par m'agacer ! *Il faut* que nous en sachions plus ! Il le faut !

— Les antécédents de Mrs Vanilos, dit Sharpe, nous fourniront peut-être une indication.

— On l'aurait supprimée parce qu'on pensait qu'elle pouvait parler ? Aurait-elle parlé ?

— Depuis quelque temps, répondit Sharpe, elle buvait, ce qui donne à supposer qu'elle avait les nerfs en mauvais état. Elle pouvait, dans un moment de dépression, tout raconter... et pour sa part, éviter la catastrophe en témoignant pour l'accusation.

— Vous ne pensez pas que c'était elle qui dirigeait tout ? demanda Wilding.

— Non, dit Poirot, je ne crois pas. Elle était trop en vue. Elle était au courant de tout, j'en suis persuadé, mais elle n'était pas le cerveau de l'affaire. Certainement pas !

— Alors, qui menait le jeu ?

Poirot hésita une seconde avant de répondre.

— J'avancerais bien un nom, mais je pourrais me tromper... Oui, je *pourrais* me tromper...

CHAPITRE XVI

1

— Parler ou ne pas parler ? dit Nigel. Voilà la question !

Il se versa une seconde tasse de café et vint se rasseoir à table.

— Parler ? demanda Len Bateson. Mais pour dire quoi ?

Nigel eut un geste désinvolte de la main.

— Tout !

Jean Tomlinson dit d'un ton ferme :

— Evidemment ! Si nous détenons une information qui peut être utile à la police, en la lui communiquant nous ne faisons que notre devoir !

Nigel ricana.

— La bonne Jean a parlé.

— Moi, je n'aime pas les flics ! déclara René, apportant sa contribution au débat.

— Mais enfin, reprit Len Bateson, qu'irions-nous raconter à ces messieurs ?

Nigel promena autour de la table du petit déjeuner un regard luisant de malice.

— Tout simplement, répondit-il, ce que nous savons les uns sur les autres. Chacun de nous en connaît long sur ses voisins. Quand on vit sous le même toit, c'est forcé !

— Oui, mais comment savoir ce qui a de l'importance et ce qui n'en a pas ? Il y a des tas de choses qui ne regardent pas la police !

Cette observation, Mr Achmed Ali l'avait lancée d'une voix irritée. Les réflexions de l'inspecteur Sharpe sur sa collection de cartes postales lui étaient restées sur le cœur.

Nigel se tourna vers Mr Akibombo.

— Il paraît qu'on a fait dans votre chambre des découvertes fort intéressantes ?

Le pigment de sa peau ne permettait pas à Mr Akibombo de rougir. Quelques battements de paupières précipités révélèrent pourtant que la question l'embarrassait quelque peu.

— On est très superstitieux dans mon pays, finit-il par dire. Mon grand-père m'a confié des objets que j'ai portés avec moi et que je conserve, par respect filial. Je suis, moi, un scientifique et je ne crois pas au vaudou. Seulement, ma connaissance imparfaite de l'anglais m'a empêché de l'expliquer à l'inspecteur...

— Tout le monde a ses petits secrets ! dit Nigel. Même Jean !

Jean Tomlinson répliqua vertement qu'elle ne se laisserait pas insulter.

— Je partirai d'ici et j'irai me loger à l'Y. W. C. A. (1) !

Nigel affecta un air consterné.

_____

(1) L'Association Chrétienne des Jeunes Filles.

— Vous ne nous ferez pas un tel chagrin ! Nous ne nous en remettrions pas !

Valerie avait écouté le dialogue avec une impatience croissante.

— Vous êtes agaçant, Nigel ! s'écria-t-elle. La police fouine partout. Etant donné les circonstances, c'est naturel !

Colin Mac Nabb s'éclaircit la gorge.

— A mon avis, déclara-t-il, on devrait nous éclairer sur la situation. De quoi exactement est-elle morte, Mrs Vanilos ?

— Nous l'apprendrons à l'enquête, j'imagine ! répondit Valerie.

— J'en doute, dit Colin. Pour moi, l'enquête sera ajournée.

— Ce n'est pas une crise cardiaque qu'elle a eue ? Elle est tombée dans la rue.,.

La question de Patricia fit sourire Len Bateson.

— Elle était ivre et incapable de marcher, expliqua-t-il. C'est pourquoi on l'a portée au commissariat.

— Ainsi, *elle buvait* ? dit Jean. Je m'en suis toujours doutée. Et je crois savoir que, lorsqu'on a perquisitionné ici, on a trouvé dans son armoire un régiment de bouteilles vides ! Des bouteilles de cognac...

Une nouvelle fois, Colin se racla la gorge.

— Samedi soir, en revenant ici, je l'ai aperçue... Elle entrait au Gueen's Necklace.

— C'est là qu'elle allait chercher sa cuite, probablement ! dit Nigel.

— C'est la boisson qui l'aurait tuée ? demanda Jean.

Len Bateson hocha la tête.

— Une hémorragie cérébrale ? Je ne crois pas.

Jean se tourna vivement vers lui.

— Vous n'allez pas nous dire que vous pensez qu'*elle* a été assassinée, elle aussi ?

— Moi, déclara Sally Finch je le parierais ! En tout cas, ça ne me surprendrait pas !

Mr Akibombo suivait tant bien que mal la conversation.

— On pense qu'elle a été tuée ? C'est bien ça ?

— Jusqu'à présent, dit Colin Mac Nabb, nous n'avons aucune raison de le supposer.

— Mais, demanda Geneviève, qui pouvait vouloir sa mort ? Si elle avait de l'argent, bien sûr...

Ce fut Nigel qui répondit à la question de la petite Française.

— Cette femme-là, ma chère, était exaspérante et tout le monde pouvait avoir envie de la tuer.

Et, plongeant la cuiller dans le pot de confitures, il ajouta :

— Moi, je l'ai eue souvent !

2

— Miss Sally, puis-je vous poser une question ? C'est à propos de ce qui s'est dit ce matin, au *breakfast*. J'ai beaucoup réfléchi...

— Vous avez tort, Akibombo. C'est mauvais pour la santé !

Sally et Akibombo déjeunaient en plein air, dans Regent's Park.

— Durant toute la matinée, reprit Akibombo, je n'ai pas été à ce que je faisais. J'ai répondu aux questions de mon professeur de façon lamentable et il

est très mécontent de moi ! Ce n'est pas ma faute !
Je ne peux pas penser à autre chose qu'à ce qu'il se
passe à Hickory Road !

— Vous ne m'étonnez pas. J'ai la tête ailleurs, moi
aussi !

— Alors, je voudrais vous poser une question...
— Et laquelle ?
— Il s'agit de cet acide... robique.
— Non, pas « robique », borique !
— C'est ça !... Je ne comprends pas bien... C'est
un acide comme l'acide sulfurique ?
— Ah ! non, pas du tout !
— On ne s'en sert que pour les travaux de labo-
ratoire ?
— Je ne vois guère quelles expériences on pour-
rait faire avec de l'acide borique. C'est un produit
très doux et très inoffensif.
— On pourrait s'en mettre *dans les yeux* ?
— Oui. C'est même sa principale utilité.
— Ah ! Alors, je comprends ! Mr Chandra Lal
avait une petite fiole qui contenait de la poudre blanche, il mettait cette poudre dans de l'eau tiède et il
prenait des bains d'yeux. Il laissait la petite bouteille
dans la salle de bains. Un jour, elle a disparu et il
était furieux. C'était, sans doute, l'acide... borique ?
— C'est probable. Mais pourquoi me demandez-
vous ça ?
— Je vous le dirai, mais pas tout de suite ! Il faut
encore que je réfléchisse.
— Si vous voulez Akibombo ! Mais, je vous en
supplie, soyez prudent ! Le prochain cadavre, je ne
veux pas que ce soit vous !

3

— Valerie, vous pourriez me donner un conseil ?

— Volontiers, Jean, bien que je ne sache pas pourquoi les gens demandent des conseils, attendu qu'ils ne les suivent jamais.

— Il s'agit d'un cas de conscience.

— Alors, je suis la dernière personne à qui vous devriez vous adresser. J'ai si peu de conscience que ce n'est pas la peine d'en parler !

— Oh ! Valerie, ne dites pas des choses comme ça !

Valerie secoua la cendre de sa cigarette.

— C'est la simple vérité ! J'ai rapporté en fraude des robes de Paris, je débite à longueur de journée des mensonges aux clientes de l'institut de beauté et quand je suis fauchée, je fais ce que je peux pour éviter de payer ma place dans l'autobus. Enfin, voyons quand même ! De quoi s'agit-il ?

— C'est à propos de ce que Nigel a dit ce matin, au petit déjeuner. Si on sait quelque chose sur quelqu'un, croyez-vous qu'on soit tenu de le dire ?

— La question est idiote. On ne peut pas y répondre d'une façon générale. Il n'y a que des cas d'espèce. Qu'est-ce que vous voulez dire... ou ne pas dire ?

— Il s'agit d'un passeport.

— D'un passeport ? Appartenant à qui ?

— A Nigel. Il a un faux passeport.

— Nigel ? Je ne crois pas ça.

— C'est pourtant vrai ! Alors, comme il me semble bien avoir entendu dire par les policiers que Celia avait dit je ne sais quoi à propos d'un passeport, je me demande si elle n'avait pas découvert que

Nigel avait un faux passeport... et si ce n'est pas lui qui l'aurait tuée !

— Ça me paraît bien mélodramatique, tout ça ! Et, pour tout dire, je crois que vous avez rêvé. Ce faux passeport, vous l'avez vu ?

— Oui.

— Dans quelles circonstances ?

— Tout à fait par hasard, il y a une quinzaine de jours. Je cherchais quelque chose dans ma serviette et, par erreur, j'ai ouvert celle de Nigel. Elles étaient, toutes les deux sur un rayon, dans le living-room.

Valerie eut un petit rire narquois.

— Racontez ça à une autre, ma petite ! Vous saviez très bien que vous étiez en train de fouiller dans ses affaires !

Jean protesta avec indignation :

— Jamais de la vie ! Jamais je n'irai fureter dans les papiers personnels de qui que ce soit ! Ce n'est pas mon genre. C'est par distraction que j'ai ouvert une serviette qui n'était pas la mienne et...

— Vous ne me ferez pas croire ça, Jean ! La serviette de Nigel est beaucoup plus grande que la vôtre et elles ne sont pas de la même couleur. Soyez franche ! Reconnaissez que vous aimez vous occuper de ce qui ne vous concerne pas, que vous avez eu une occasion de jeter un coup d'œil dans les affaires de Nigel et que vous en avez profité !

Jean se leva.

— Puisque vous n'avez à me dire que des choses désagréables et injustes, j'aime mieux...

— Voyons, Jean, ne soyez pas sotte !... Et rasseyez-vous ! Ça m'intéresse, cette histoire-là ! Je veux savoir.

— Soit !... Donc, dans cette serviette, il y avait

un passeport, sur lequel se lisait un nom comme Stanford, Stanley, ou quelque chose d'approchant. J'ai trouvé drôle que Nigel eût en sa possession un passeport qui n'était pas à lui et, ce passeport, je l'ai ouvert. La photo, à l'intérieur, était bien celle de Nigel. Par conséquent, c'est un homme qui doit avoir une double vie et je me demande si je ne dois pas le signaler à la police. Vous ne croyez pas que c'est mon devoir ?

Valerie éclata de rire.

— Pas de chance, Jean ! L'explication est toute simple et je la tiens de Pat. Il se trouve que Nigel a fait un héritage, qui ne lui revenait qu'à la condition qu'il changeât de nom. Ce qu'il a fait, dans les règles. Un point, c'est tout ! Je crois qu'il s'appelait Stanfield ou Stanley, ou quelque chose comme ça.

— Ah !

Jean semblait fort déçue.

— Si vous ne me croyez pas, reprit Valerie, demandez à Pat !

— A quoi bon ? Si c'est comme vous dites, j'ai dû me tromper...

— Vous serez plus heureuse une autre fois !

— Je ne comprends pas.

— Non ? Ce n'est pas vrai que vous ne seriez pas fâchée de jouer un vilain tour à Nigel et de lui coller les gens de la police sur le dos ?

Jean était debout.

— Croyez-moi ou ne me croyez pas, Valerie, je voulais seulement faire mon devoir !

Elle sortit là-dessus.

— Et zut ! dit Valerie.

On frappa à la porte. Sally entra.

— Qu'est-ce que vous avez, Valerie ? Vous paraissez triste.

— C'est cette ordure de Jean ! Elle est vraiment *trop méchante* ! Vous ne croyez pas qu'il y ait une chance que ce soit elle qui ait supprimé la pauvre Celia ? Ça me ferait rudement plaisir de la voir, cette saleté de Jean, dans le box des accusés !

— A moi aussi ! Mais ça ne me paraît pas probable ! Elle est trop prudente pour jamais tuer qui que ce soit.

— Que pensez-vous de la mort de Mrs Vanilos ?

— Je me le demande ! On sera fixé bientôt.

— Je parierais à dix contre un qu'elle a été assassinée, elle aussi !

— Mais pourquoi ? Enfin, qu'est-ce qu'il se passe dans cette maison ?

— Je voudrais bien le savoir ! Il ne vous arrive jamais, Sally, de regarder les gens ?

— De regarder les gens, Val ?

— Oui, de les regarder et de vous dire : « Et si c'était l'assassin ?... » Moi, Sally, j'ai la conviction qu'il y a ici un fou en liberté ! Je ne parle pas d'un doux maniaque, mais d'un fou *dangereux*.

Sally eut un frisson.

— C'est bien possible ! dit-elle.

4

— Nigel, il y a quelque chose qu'il faut *absolument* que je vous dise !

— Et quoi donc, Pat ?

Nigel, qui menait de fébriles recherches dans les tiroirs de sa commode, lança un juron et ajouta :

— Ce que j'ai pu faire de ces notes, je n'en ai

pas la moindre idée ! J'étais pourtant bien sûr de les avoir collées là-dedans !

— Ce n'est pas une raison pour tout bouleverser ! J'avais mis de l'ordre et, maintenant, tout est sens dessus dessous !

— Ces notes, il faut quand même bien que je les retrouve !

— Il faudrait surtout que vous m'écoutiez, Nigel !

— Inutile de prendre un air catastrophé pour me dire ça ! De quoi s'agit-il ?

— C'est quelque chose que je voudrais vous avouer.

Nigel ricana.

— Pas un meurtre, j'espère ?

— Bien sûr que non !

— Alors, ce n'est pas grave ! Un menu péché ?

— Voilà.. Il y a quelque temps, un après-midi, je suis venue dans votre chambre pour ranger des chaussettes à vous, que j'avais raccommodées. J'ai ouvert le tiroir de la commode...

— Et ?

— Et il y avait là ce petit flacon de morphine dont vous m'aviez parlé. Vous savez, cette morphine que vous aviez prise à la pharmacie de l'hôpital ?

— Ce qui me valut de votre part de sévères observations. Et alors ?

— Vous rendez-vous compte, Nigel, que cette morphine, *n'importe qui* aurait pu la trouver ?

— Il aurait fallu la chercher ! A part vous, personne ne s'occupe de mes chaussettes !

— Il reste qu'il était bien imprudent de laisser cette drogue-là, à la portée du premier venu. Je sais que vous aviez l'intention de la jeter, une fois votre pari gagné, mais, en attendant, elle était là.

— Forcément ! J'avais deux substances toxiques,

mais je ne m'étais pas encore procuré la troisième.

— Bref, je me suis dit que c'était dangereux, j'ai pris le flacon et, après l'avoir vidé, j'ai remplacé la morphine par du bicarbonate de soude. On ne pouvait voir la différence.

Nigel avait suspendu ses investigations.

— Si je comprends bien, quand j'ai juré à Len et à Colin que je leur apportais un flacon de morphine, sulfate, tartrate ou je ne sais quoi, il s'agissait seulement de bicarbonate de soude ?

— J'avais pensé...

Suivant son idée, Nigel ne permit pas à Patricia d'achever sa phrase.

— Du coup, je me demande si j'ai bien gagné mon pari ! Evidemment, j'étais de bonne foi...

— Mais, Nigel, c'était *du poison* ! On ne pouvait pas le laisser là !

— Dommage que vous soyez toujours prête à vous affoler, Pat ! Cette morphine, où l'avez-vous jetée ?

— Je ne l'ai pas jetée. Je l'ai transvasée dans le flacon de bicarbonate, que j'ai caché dans un tiroir de ma commode, derrière mes mouchoirs.

Nigel regarda Patricia avec un étonnement non dissimulé.

— Drôle de logique !

— J'étais plus tranquille.

— C'est ce que je ne m'explique pas ! Cette morphine, du moment que vous ne la mettiez pas sous clé, pourquoi vous sentiez-vous plus rassurée de la savoir derrière vos mouchoirs plutôt que sous mes chaussettes ?

— Je suis seule dans ma chambre, alors que vous partagez la vôtre avec Len.

— Vous voyez ce brave vieux Len fouiller dans mes affaires ?

— Quoi qu'il en soit, Nigel, je ne vous aurais pas parlé de tout ça si ce flacon... n'avait *disparu.*

— La police l'a saisi ?

— Non. Il avait disparu avant la perquisition.

— Avant ? Autrement dit, il y a dans cette maison, on ne sait où, une fiole étiquetée « bicarbonate de soude » et qui contient, en fait, du tartrate de morphine ! Une digestion difficile et vous aurez quelqu'un qui s'enverra une bonne cuillerée de poison, histoire d'arranger les choses. Mais, Pat, puisque cette drogue vous paraissait dangereuse, pourquoi ne l'avez-vous pas purement et simplement fichue en l'air ?

— Parce que je pensais qu'il valait mieux la rendre à l'hôpital que la détruire. J'avais l'intention, quand vous auriez eu gagné votre pari, de remettre le flacon à Celia, en lui demandant de le reporter à la pharmacie de l'hôpital.

— Vous êtes *bien sûre* de ne pas le lui avoir donné ?

— Absolument. Vous pensez que je le lui aurais donné et qu'elle s'en serait servie pour se tuer ? Je serais donc responsable...

— Ce flacon, quand a-t-il disparu, exactement ?

— Je l'ignore. Je l'ai cherché, la veille de la mort de Celia, et je ne l'ai pas trouvé. Je me suis dit que j'avais dû le changer de place...

— Il n'était plus là *la veille de sa mort ?*

— Non.

Livide, Patricia ajouta :

— Je me suis conduite comme une sotte, n'est-ce pas ?

— C'est le moins qu'on puisse dire !

— Vous croyez que je devrais prévenir la police ?

— Malheureusement, oui. Et ça va me mettre dans de jolis draps !

— Mais, Nigel, c'est moi qui...

— C'est moi qui, à l'origine, ai fauché cette morphine à l'hôpital ! Je trouvais la chose farce. J'ai changé d'avis. Il me semble déjà entendre ce que l'accusation dira à mon procès...

— Je suis *sincèrement* désolée, Nigel. Je croyais bien faire...

— Je le sais, Pat, je le sais ! Mais ça n'arrange rien. Je ne peux pas croire que ce flacon ait disparu. Vous l'avez rangé quelque part et vous avez oublié où. Ce n'est pas la première fois que vous égarez quelque chose...

— Non, Nigel, mais...

Nigel était déjà en route.

— Venez, Pat ! Nous allons tout retourner dans votre chambre.

5

— Mais, Nigel, c'est *mon linge* !

— Ce n'est pas le moment de jouer les prudes, Pat ! Vous auriez très bien pu cacher ce flacon parmi vos combinaisons...

— Oui, mais...

— J'entends avoir une certitude et je ne l'aurai que lorsque j'aurai regardé partout !

On frappa à la porte, très légèrement, et Sally entra. Le spectacle la surprit : Pat, assise sur le lit, avait dans les mains quelques paires de chaussettes appartenant à Nigel, cependant que celui-ci, explorant les tiroirs de la commode, apparaissait envi-

ronné de pièces de lingerie féminine, allant des chemises aux slips, aux bas et aux pyjamas.

— Que se passe-t-il donc ?

Nigel répondit à la question de Sally :

— Je cherche du bicarbonate !

— Du bicarbonate ? Pourquoi ?

— Parce que j'ai mal à l'estomac... et que je ne
veux pas entendre parler d'un autre médicament.

— Je dois en avoir quelque part...

— Ne vous dérangez pas, Sally ! Il me faut le
bicarbonate de Pat. Mon estomac n'en tolère pas
d'autre.

— Vous êtes cinglé !

Sally se tourna vers Patricia.

— Qu'est-ce qu'il cherche ?

Pat leva la tête.

— Vous n'auriez pas vu mon bicarbonate, Sally ?
Un petit flacon à moitié vide ?

— Non.

Fronçant le sourcil, elle ajouta :

— A moins que... Non, il ne me semble pas...
Vous n'auriez pas un timbre, Pat ? Je n'en ai plus
et j'ai une lettre à mettre à la poste.

— Il y en a dans le secrétaire...

Sally ouvrit le tiroir du petit meuble, détacha un
timbre d'un carnet qui s'y trouvait, le colla sur l'enveloppe qu'elle tenait à la main et posa deux *pence*
et un *penny* sur le secrétaire.

— Merci. Cette lettre que vous avez là, vous voulez que je la jette à la boîte en même temps que la
mienne ?

— Oui... Ou, plutôt, non ! J'aime mieux qu'elle
attende.

— Comme vous voudrez !

Après le départ de Sally, Pat lâcha les chaussettes

qu'elle avait à la main et, très nerveuse, se mit à se tordre les doigts.

— Nigel ?

— Quoi ?

Il avait quitté la commode et retournait maintenant les poches d'un manteau accroché au mur.

— Il y a encore quelque chose que je voudrais vous avouer.

— Non ? Qu'est-ce que vous avez encore fait ?

— J'ai peur que vous ne vous fâchiez...

— Je n'en suis plus là ! Vous me faites trembler, voilà tout ! Si Celia s'est vraiment empoisonnée avec la drogue que j'ai calottée à l'hôpital, j'aurai à tirer des années et des années de prison, si j'ai la chance d'échapper à la corde !

— Il s'agit d'autre chose. Il s'agit de votre père.

— Hein ?

Il avait vivement fait demi-tour. La stupéfaction se lisait sur ses traits.

— Vous savez qu'il est très mal ? reprit Pat.

— Ça m'est complètement égal !

— On l'a dit, hier soir, à la radio. « Sir Arthur Stanley, le célèbre chimiste, est dans un état grave. »

— Ce que c'est que d'être un homme connu ! Quand on est malade, le monde entier en est informé.

— Si vraiment il est mourant, Nigel, vous devriez vous réconcilier avec lui !

— Rien à faire !

— Mais s'il est mourant...

— Mourant ou pas, il reste une ordure !

— Ne parlez pas comme ça, Nigel ! Ne soyez pas amer, intraitable...

— Ma petite Pat, je vous l'ai déjà dit, cet homme a tué ma mère !

— Vous me l'avez dit, Nigel, et je sais que vous adoriez votre maman. Mais je sais aussi qu'il vous arrive d'exagérer. Des maris qui ne sont pas gentils et qui rendent leur femme malheureuse, il y en a des masses. Que votre père ait été de ceux-là, je n'en doute pas, mais qu'il ait tué votre mère, c'est trop dire et ce n'est pas vrai !

— Qu'en savez-vous ?

— Je sais qu'un jour vous regretterez de l'avoir laissé mourir sans avoir fait la paix avec lui. Et c'est pourquoi...

Elle se tut et rassembla tout son courage pour reprendre :

— C'est pourquoi je lui ai écrit...

— Vous lui avez écrit ? C'est la lettre que Sally voulait mettre à la poste ?

Il alla au secrétaire, prit l'enveloppe déjà timbrée, lut l'adresse et, en quelques gestes rapides, déchira la lettre, dont il jeta les morceaux dans la corbeille à papier.

— Et voilà ! dit-il.

— Vous vous conduisez comme un enfant, Nigel ! Vous pouvez déchirer cette lettre, vous ne pourrez pas m'empêcher d'en écrire une autre... et c'est ce que je ferai !

— Vous êtes bêtement sentimentale, Pat ! Il ne vous est jamais venu à l'esprit que, lorsque je vous ai dit que mon père avait tué ma mère, j'énonçais dans toute sa brutalité *un fait incontestable*. Ma mère est morte pour avoir pris une dose excessive de médinal. Par erreur, a-t-il été décidé à l'enquête. En réalité, *il n'y avait pas eu la moindre erreur*. Cette dose mortelle de poison, mon père l'a administrée à ma mère de propos délibéré, en pleine connaissance de cause, parce qu'elle lui refusait le divorce dont il avait besoin pour épouser une autre femme. Il s'agit d'un meurtre, et pas d'autre chose, d'un meurtre sordide, inexpiable. Qu'est-ce que vous auriez fait à ma place ? Dénoncer l'assassin ? J'y ai songé, mais ma mère ne l'eût pas voulu... Il ne me restait qu'une chose à faire, et je l'ai faite. J'ai dit au personnage que je savais... et je suis parti. Pour toujours. J'ai même changé de nom.

— Je suis désolée, Nigel. Je ne pensais pas...

— Eh bien ! maintenant, vous êtes au courant. L'illustre Arthur Stanley, l'homme des antibiotiques, le savant respectable et respecté, est un assassin. Heureusement, la jolie poupée qu'il voulait épouser lui a échappé. Elle a filé. Probablement parce qu'elle avait soupçonné ce qu'il s'était passé...

— Vraiment, Nigel, je ne sais comment vous dire...

— Ce n'est rien, Pat ! Nous ne parlerons plus de ça ! Jamais. Revenons à notre satané bicarbonate ! Il faut absolument que nous sachions ce que vous en avez fait. Prenez votre tête dans vos mains, ma petite Pat, et, je vous en supplie, *réfléchissez !*

6

Très surexcitée, Geneviève entra dans le living-room. On s'assembla autour d'elle.

A mi-voix, elle dit :

— Je sais, et de façon absolument certaine, qui a tué la pauvre Celia.

Le cercle se resserra autour de la petite Française.

— Et qui est-ce ? demanda René.

Geneviève s'assura d'un coup d'œil que les portes étaient bien fermées. Baissant encore la voix, elle répondit :

— C'est Nigel Chapman.

— Nigel ? Comment le savez-vous ?

— J'étais dans le couloir, au premier étage, allant vers l'escalier. J'ai entendu parler dans la chambre de Patricia. J'ai reconnu la voix de Nigel...

— Qu'est-ce qu'il faisait dans la chambre de Patricia ?

La question était de Jean Tomlinson. Geneviève poursuivit :

— Il était en train de dire à Pat qu'il avait changé de nom parce que son père avait tué sa mère. Tout s'explique ! Il est le fils d'un assassin. L'hérédité...

— C'est très possible, dit Mr Chandra Lal, contemplant l'hypothèse avec une certaine complaisance. Nigel est violent, emporté, il manque de maîtrise de soi... C'est votre avis ?

Akibombo, que Mr Chandra Lal consultait non sans condescendance, approuva avec chaleur, ses dents blanches découvertes en un large sourire.

— Pour moi, dit Jean, j'ai toujours considéré que Nigel n'avait *aucun sens moral*. Je le tiens pour un *dégénéré*.

— C'est un crime sexuel, déclara M. Achmed Ali. Elle était sa maîtresse et il l'a tuée, parce que comme une brave petite fille qu'elle était, elle espérait le mariage...

— Complètement idiot ! s'écria Leonard Bateson.

— Vous dites ?

— Je dis, répéta Len, que c'est *complètement idiot* !

CHAPITRE XVII

1

Dans une pièce du commissariat de police, Nigel, très nerveux, venait d'achever un récit au cours duquel il lui était arrivé de bégayer à différentes reprises. Assis en face de lui, l'inspecteur Sharpe posait sur lui un regard sévère.

— Vous vous rendez compte, Mr Chapman, que ce que vous venez de nous dire est grave ? Très grave ?

— Naturellement, je m'en rends compte ! Sinon, je ne serais pas venu vous le dire !

— Ainsi, Miss Lane ne se souvient plus de l'endroit où elle a vu pour la dernière fois le flacon de bicarbonate, qui, en fait, contient de la morphine ?

— Elle ne se rappelle plus. Plus elle essaie de se souvenir, plus les choses se brouillent dans son esprit ! Elle m'a dit que je la gênais pour réfléchir. Alors, je l'ai laissée et je suis venu vous trouver.

— Le mieux que nous ayons à faire, c'est d'aller tout de suite à Hickory Road.

Sharpe finissait sa phrase quand la sonnerie du

téléphone tinta. L'agent qui avait pris des notes durant le récit de Nigel décrocha le récepteur et le porta à son oreille.

— C'est Miss Lane, dit-il. Elle voudrait parler à Mr Chapman.

Nigel se pencha sur la table pour prendre l'écouteur.

— Allô ! Pat ? Nigel à l'appareil.

— Nigel ! *Je crois que je me rappelle !* Il me semble que, maintenant, je sais qui a pris dans mon tiroir... ce que vous savez. Il n'y a qu'une personne, et une seule, qui peut avoir...

Pat, apparemment très surexcitée, avait parlé très vite, comme pour dire d'une haleine tout ce qu'elle avait à dire. Et, brusquement, la voix s'était tue.

— Allô ! Pat ! Vous êtes toujours là ? Cette personne, qui est-ce ?

— Je ne peux pas vous le dire en ce moment. Plus tard ! Vous revenez ?

Le récepteur était assez près de Sharpe pour que l'inspecteur pût entendre. Il répondit d'un mouvement de tête au regard interrogateur de Nigel et dit :

— Dites-lui que nous venons tout de suite !

— Nous arrivons ! Nous partons à l'instant.

— Bon ! Je serai dans ma chambre.

— Entendu, Pat. A tout de suite !

Quelques mots à peine furent prononcés durant le trajet du commissariat à Hickory Road. Sharpe se demandait si son heure était enfin venue. Patricia s'était-elle trompée ou allait-elle lui offrir la preuve décisive dont il avait besoin ? Evidemment, elle s'était souvenue de *quelque chose* qui lui semblait important. Elle avait dû téléphoner du vestibule et sans doute était-ce pour cela qu'elle avait parlé à mots couverts A cette heure de la soirée, il y avait un certain mouvement dans la maison...

La voiture s'arrêta devant le 26, Hickory Road. Nigel ouvrit avec sa clé et entra le dernier. En passant devant la porte ouverte du living-room, Sharpe aperçut la tête ébouriffée de Leonard Bateson, penché sur ses bouquins.

Nigel monta l'escalier le premier, frappa à la porte de Patricia et entra.

— Alors, Pat ? Nous n'avons...

Le reste de la phrase ne passa pas ses lèvres. Il s'était immobilisé, comme cloué sur place. Pardessus son épaule, Sharpe vit à son tour : Patricia gisait sur le parquet...

L'inspecteur écarta doucement Nigel, s'agenouilla près du corps de la jeune fille, lui souleva la tête, qu'il reposa avec précaution, lui tâta le pouls, puis se releva. L'expression de son visage, sombre et fermée, était lourde de sens. Nigel le regardait, atterré.

— Non, n'est-ce pas ? Ce n'est pas vrai ?

Il balbutiait.

— Si, Mr Chapman Elle est morte !

— Non, non ! Ce n'est pas possible !... Comment...

— Tuée avec ça !

L'assassin s'était servi d'une arme improvisée : un presse-papiers en marbre, glissé dans une chaussette de laine.

— Elle a été frappée sur la nuque, par-derrière, et je crois pouvoir dire, Mr Chapman, qu'elle n'a même pas su ce qu'il lui arrivait...

Nigel s'était laissé tomber sur le lit.

— C'est une chaussette à moi !... Elle devait la raccommoder...

Brusquement, il se mit à pleurer. Comme un enfant. Indifférent à tout ce qui l'entourait...

Sharpe, cependant, poursuivait :

— C'était quelqu'un qu'elle connaissait bien. Il a pris une chaussette et il a mis le presse-papiers dedans. Ce presse-papiers, Mr Chapman, vous le reconnaissez ?

Nigel leva la tête et regarda, à travers ses larmes.

— Il était toujours sur le bureau de Pat. C'est un lion de Lucerne.

Il se cacha le visage dans ses mains.

— Pat ! Ma petite Pat ! Qu'est-ce que je vais devenir sans elle ?

Se remettant debout soudain et rejetant en arrière les mèches qui lui tombaient sur le front, il cria :

— Celui qui a fait ça, je le tuerai ! Je le tuerai et il se verra mourir !

— Calmez-vous, Mr Chapman ! Je comprends vos sentiments. Une telle sauvagerie...

— La pauvre Pat, qui n'avait jamais fait de mal à personne !

Tout en lui parlant avec douceur, l'inspecteur conduisit Nigel hors de la chambre. Après quoi, il revint près du corps et, très délicatement, il écarta les doigts de la main droite pour prendre quelque chose.

2

La sueur ruisselait sur le front de Geronimo. Ses yeux effarés allaient d'un visage à l'autre.

— Je n'ai rien vu, rien entendu, je le jure. Je ne sais rien, *rien du tout* ! J'étais avec Maria, à la cuisine. J'avais mis le minestrone sur le feu et je râpais du fromage...

Sharpe coupa la parole à l'Italien.

— Personne ne vous accuse. Nous voulons seulement préciser quelques heures. Au cours de la dernière heure, qui est entré dans la maison et qui en est sorti ?

— Comment voulez-vous que je le sache ?

— Par la fenêtre de la cuisine, vous voyez bien qui entre et qui sort ?

— Oui.

— Alors, répondez à ma question !

— A cette heure-ci de la journée, on entre et on sort tout le temps !

— Nous sommes arrivés ici à six heures et demie. Qui y avait-il dans la maison entre six heures et six heures et demie ?

— Tout le monde excepté Mr Nigel, Mrs Hubbard et Miss Hobhouse.

— Quand étaient-ils sortis ?

— Mrs Hubbard est partie avant l'heure du thé. Elle n'est pas encore rentrée.

— Continuez !

— Mr Nigel est sorti il y a environ une demi-heure, juste avant six heures. Il est revenu avec vous, il n'y a qu'un instant...

— Exact. Après ?

— Miss Valerie est sortie à six heures tapant. La radio venait de donner l'heure. Elle était très chic. Sans doute parce qu'elle allait à un cocktail. Elle n'est pas rentrée.

— Tous les autres pensionnaires sont ici ?

— Oui, monsieur, tous !

Sharpe consulta son calepin. Il y avait noté l'heure à laquelle Patricia avait téléphoné : six heures huit, exactement.

— Tout le monde était dans la maison. Personne n'est rentré entre six heures et six heures et demie ?

— Personne, sauf Miss Sally. Elle était allée mettre une lettre à la boîte...

— Savez-vous à quelle heure elle est revenue ?

Geronimo fronça le front, réfléchissant.

— Elle est revenue pendant le bulletin d'informations.

— Donc, *après* six heures ?

— Oui, monsieur.

— Au début ou à la fin du bulletin ?

— Je ne pourrais pas dire. En tout cas, c'était avant les nouvelles sportives. Quand elles commencent, nous fermons le poste...

Sharpe se passa la main sur le cou. Le champ était vaste. Trois personnes seulement pouvaient être mises hors de cause : Nigel Chapman, Valerie Hobhouse et Mrs Hubbard. Les interrogatoires n'en finiraient pas ! Il ne serait pas simple de déterminer qui se trouvait dans le living-room et qui ne s'y trouvait pas, ou ne s'y trouvait plus. Il allait falloir préciser des heures, et notamment avec des étudiants originaires d'Afrique ou d'Asie, toujours très vagues, comme tous leurs pareils, sur les questions de temps. La tâche ne serait pas aisée.

Mais il fallait bien la faire...

3

Dans sa chambre, Mrs Hubbard, qui n'avait encore retiré ni son manteau ni son chapeau, s'était assise sur le canapé. Sharpe et le sergent Cobb avaient pris place près d'une petite table.

— Je pense, dit Sharpe, que c'est de chez vous qu'elle a téléphoné. Autour de six heures huit, il y a eu pas mal d'allées et venues au rez-de-chaussée, si j'en crois ce qui m'a été dit, et personne n'a vu ou entendu qui que ce soit se servir du téléphone du vestibule. Naturellement, je ne me fie pas trop aux heures que me donnent vos pensionnaires. Il y en a une bonne moitié qui m'a tout l'air de ne jamais regarder une montre ou une pendule. Mais je crois que, voulant téléphoner au commissariat, elle est venue ici. Vous étiez sortie, mais votre porte n'était pas fermée à clé ?

— Non, répondit Mrs Hubbard. Mrs Vanilos fermait toujours sa porte à clé. Moi, je ne le fais jamais.

— Bien. Patricia Lane, donc, vient ici pour téléphoner. Elle a hâte de nous faire connaître ce dont elle vient de se souvenir. Et, tandis qu'elle parle, la porte s'ouvre devant quelqu'un qui jette un coup d'œil dans la pièce ou qui y entre. Patricia termine sa communication avec embarras et elle raccroche. Par simple précaution ou pour une raison plus précise, parce qu'elle a reconnu dans la personne en question celle-là même qu'elle s'apprêtait à nommer ? Les deux hypothèses sont plausibles. Je penche pour la seconde.

Mrs Hubbard indiqua, d'un lent mouvement de tête, que c'était également son sentiment. Sharpe poursuivit :

— Donc, quelqu'un survient, qui vraisemblablement avait suivi Patricia et écouté à la porte. Ce quelqu'un ne sera entré, j'imagine, que pour empêcher que son nom ne soit prononcé.

Après un court silence, il reprit d'une voix assourdie :

— Pat est alors retournée à sa chambre. L'autre l'a accompagnée, bavardant avec elle le plus naturellement du monde. Et c'est au cours de la conversation, on peut le supposer, que Pat lui aura reproché d'avoir touché à son flacon de bicarbonate. L'autre aura reconnu le fait, je pense, mais elle l'aura expliqué..

Mrs Hubbard interrompit l'inspecteur :

— Pourquoi dites-vous « elle » ?

— En effet, j'ai dit « elle »... C'est drôle, hein ? Quand nous avons trouvé le corps, Nigel Chapman a dit : « Celui qui a fait cela, je *le tuerai* ! » Il n'a pas hésité sur le pronom. Pour lui, l'assassin est *un homme*. Sans doute parce que l'idée de brutalité évoque plutôt un homme qu'une femme. Peut-être aussi parce que ses soupçons à lui portent sur un homme, un homme déterminé. Si c'est le cas, il faudra que nous lui demandions sur quoi reposent ses soupçons. Quant à moi, je crois que le coupable est une femme.

— Pourquoi ?

— L'assassin est entré avec Patricia dans sa chambre et Patricia a trouvé cela parfaitement normal. C'est ce qui me fait croire qu'il s'agissait d'une femme. Les garçons ne vont pas dans les chambres des jeunes filles, n'est-ce pas ?

— En principe, non. La règle n'a rien de strict, mais elle est assez généralement observée.

— D'autre part, sauf au rez-de-chaussée, la séparation entre les deux corps de bâtiments est très nette. Il y a donc de fortes chances pour que, si la conversation entre Nigel et Pat a été entendue, ce soit par une femme.

— Oui. D'autant plus que la moitié de ces demoiselles passent leur temps à écouter aux portes !

Mrs Hubbard avait parlé un peu vite. Elle rougit et corrigea aussitôt :

— Ce n'est pas tout à fait ce que je voulais dire !

La maison est solidement construite, mais on a divisé certaines chambres en deux et il y a des cloisons légères, à travers lesquelles on entend tout ce qui se dit dans la pièce voisine. Et cela sans tendre l'oreille ! Jean est indiscrète, je n'en disconviens pas. Elle est comme ça ! Il est bien sûr aussi que Geneviève s'est arrêtée dans le couloir quand elle a entendu Nigel dire à Pat que son père avait tué sa mère, et qu'elle a écouté la suite. Elle en est capable !

L'inspecteur approuva du chef. Il avait recueilli les témoignages de Sally Finch, de Jean Tomlinson et de Geneviève.

— Qui occupe les chambres voisines de Patricia ? demanda-t-il.

— Geneviève, de qui la chambre est séparée de celle de Patricia par un gros mur datant de la construction de la maison, et Elizabeth Johnston, qui a la chambre la plus proche de l'escalier. Là, il n'y a qu'une cloison.

— Bon. La petite Française a entendu *la fin* de la conversation. Sally Finch était à l'étage un peu plus tôt, *avant de sortir* pour mettre sa lettre à la poste. Le seul fait *qu'elles étaient là* exclut la possibilité pour qui que ce soit d'autre d'avoir écouté cette conversation entre Pat et Nigel, sauf peut-être pendant un très court instant. Et exception faite, naturellement, d'Elizabeth Johnson, qui pourrait avoir tout entendu à travers la cloison, si elle s'était trouvée dans sa chambre. Mais il me semble à peu près établi qu'elle était déjà dans le living-room quand Sally Finch est descendue avec sa lettre.

— Elle n'a pas bougé du living-room ?

— Si. Elle est remontée pour chercher un livre qu'elle avait oublié. Seulement, à quel moment ? Personne ne peut me le dire !

Mrs Hubbard poussa un soupir découragé.

— Bref, *ils* peuvent tous être coupables !

— Si l'on s'en tient à leurs déclarations, oui. Heureusement, nous avons un petit commencement de preuve !

Il avait tiré de sa poche une feuille de papier, pliée à la dimension d'une carte de visite.

— Qu'est-ce que vous avez là-dedans ? s'enquit Mrs Hubbard.

Sharpe sourit.

— Quelques cheveux... Ils étaient entre les doigts de Patricia...

— Ce qui voudrait dire...

On frappa à la porte.

— Entrez ! dit l'inspecteur.

C'était, tout souriant, Mr Akibombo.

— Que voulez-vous ? demanda Sharpe, d'un ton peu aimable.

— Je désirerais, dit le Noir, faire une déposition. Très importante, je crois...

CHAPITRE XVIII

— Je vous écoute, Mr Akibombo. De quoi s'agit-il ?

Résigné, l'inspecteur Sharpe avait offert un siège à Akibombo.

— Je commence maintenant ?

— Je vous en prie.

— Voilà. J'ai quelquefois des douleurs d'estomac.

— Ah ?

— Oui. Je ne suis pas malade. J'ai des douleurs. Ça ne va pas plus loin.

Sharpe se sentait devenir nerveux.

— Oui, dit-il, vous avez des douleurs. C'est fâcheux ! Et alors ?

— C'est peut-être une question de nourriture. Je ne suis pas habitué à la cuisine anglaise. Je prends des petites pilules ou de la poudre. Après, je me sens mieux...

L'inspecteur tapotait avec impatience le bras de son fauteuil.

— Nous avons compris, dit Mrs Hubbard d'un ton sec. Venez-en au fait !

— Oui. Donc, la semaine dernière, je ne sais plus quel jour exactement, j'ai mangé énormément de macaroni et je me sentais très lourd, pas bien du tout. C'était après le dîner et j'étais seul dans le living-room, avec Elizabeth. Je lui ai demandé si elle n'avait pas du bicarbonate de soude, car je n'avais plus de pilules, ni poudre. Elle m'a répondu : « Non, mais j'en ai vu dans le tiroir de Pat, quand je lui ai reporté le mouchoir que je lui avais emprunté. Je vais aller vous le chercher. » Elle est sortie, puis elle est revenue avec un petit flacon de bicarbonate de soude. Il en restait très peu. Je l'ai remerciée et je suis allé à la salle de bains. J'ai mis une petite cuiller de ce qu'il y avait dans le flacon dans de l'eau, j'ai remué et j'ai bu.

— Mon Dieu !

L'exclamation était de Mrs Hubbard. L'inspecteur et le sergent Cobb regardaient Mr Akibombo avec une égale stupeur.

— Vous avez avalé une cuillerée de *morphine* ?

— Je croyais que c'était du bicarbonate !

— Ce que je ne comprends pas, c'est que vous ne soyez pas mort !

— J'ai été malade, très malade. Pas seulement des douleurs ! Malade, vraiment !

— Ensuite ?

— Le lendemain, quand j'ai été mieux, je suis allé chez un pharmacien et je lui ai demandé d'analyser ce qu'il restait de poudre dans le flacon. Quand je suis revenu, un peu plus tard, il m'a dit : « Pas étonnant, que vous ayez été malade. Ce n'est pas du bicarbonate de soude, c'est *de l'acide borique* ! »

— De l'acide borique ? s'écria Sharpe. Comment

était-il venu dans ce flacon ? Et qu'était devenue la morphine ? Du diable si j'y comprends quelque chose !

Très calme, Mr Akibombo poursuivait :

— Depuis, j'ai réfléchi.

— Ah ?

— J'ai réfléchi à la fin de Miss Celia et j'ai pensé que quelqu'un, après sa mort, était probablement entré dans sa chambre pour y laisser le petit flacon de morphine vide et le petit papier disant qu'elle s'était suicidée...

Akibombo se tut.

— Ensuite ? dit Sharpe, intéressé.

— Et je me suis posé la question : « Qui peut avoir fait ça ?... » Je me suis dit que, pour une fille, c'était facile, mais non pas pour un des garçons, car il lui aurait fallu descendre dans le corps de bâtiment qui nous est réservé, et monter l'escalier dans l'autre, au risque d'éveiller quelqu'un et d'être vu ou entendu. Et puis, en réfléchissant encore, je me suis dit que c'était peut-être quand même un garçon, parce qu'on peut, par l'extérieur, passer d'un bâtiment à l'autre. Par les balcons. Il y en a un chez Miss Celia et un aussi à la chambre qui, dans notre bâtiment, est la plus proche de la sienne. Miss Celia dormait la fenêtre ouverte. On peut sauter...

— Voyons ! dit Mrs Hubbard. La chambre dont vous parlez, c'est celle que partagent Nigel...

— Et Len Bateson, ajouta Sharpe, considérant de l'œil le morceau de papier plié qu'il avait toujours entre les doigts.

— Oui, reprit Mr Akibombo, un peu de tristesse dans la voix. Il est très gentil et, avec moi, très aimable, mais, en psychologie, il faut voir sous les apparences. C'est bien cela ? Mr Chandra Lal était

très mécontent de la disparition de son acide borique. Plus tard, quand je le lui ai demandé, il m'a dit
qu'il lui avait été pris par Len Bateson...

— Tout s'éclaire ! dit Sharpe. La morphine a été
retirée du tiroir de Nigel et remplacée par de l'acide
borique. Là-dessus, Patricia survient, qui substitue
du bicarbonate de soude à ce qu'elle croit être de
la morphine, et qui est en réalité de l'acide borique...

— Je vous ai été utile ? demanda courtoisement
Mr Akibombo.

— Enormément. Je vous suis très reconnaissant
de ce que vous m'avez appris. Puis-je vous demander
de ne pas souffler mot de tout ça ?

— Certainement, monsieur. Je vous promets de
ne parler de cela à personne.

Sur un salut fort courtois, Mr Akibombo se retira.

— Len Bateson ! dit alors Mrs Hubbard, avec ac-
cablement. Ce n'est *pas possible* !

Sharpe la regarda.

— Vous ne voulez pas qu'il soit coupable ?

— C'est un garçon que j'aime bien ! Il a mauvais
caractère, c'est entendu, mais je l'ai toujours trouvé
sympathique.

— Une phrase qui a été prononcée à propos de
bien des criminels ! fit remarquer l'inspecteur.

Il déplia la feuille de papier, qu'il n'avait cessé
de tenir entre les doigts tandis que parlait Mr Akibombo. Sur son invitation, Mrs Hubbard se pencha
pour voir ce qu'elle contenait. C'étaient deux cheveux
roux, assez courts, mais bouclés.

— Mon Dieu ! s'écria-t-elle.

Sharpe replia la feuille de papier et dit, songeur :

— Si j'en crois mon expérience, l'assassin commet
toujours *au moins une erreur*...

CHAPITRE XIX

1

Hercule Poirot ne cachait pas son admiration.

— Merveilleux, mon cher ami, merveilleux ! Et tellement clair !

Sharpe ne semblait pas partager l'enthousiasme du petit détective.

— Vous trouvez ? Pour moi, il y a encore pas mal d'obscurités...

— Plus maintenant ! Tout colle, je vous dis, tout colle !

— Même ça ?

Ça, c'étaient les deux cheveux roux.

— Même ça. C'est bien, comme on dit à la radio, l'inévitable erreur ! On n'est jamais aussi malin qu'on croit. Personne !

Sharpe eut la tentation d'ajouter : « Pas même Hercule Poirot ! » mais eut la sagesse de la repousser.

— Pour le reste, reprit Poirot, tout est paré ?

— Oui. C'est pour demain !

— Vous allez là-bas vous-même ?

— Non. Moi, je serai à Hickory Road. Là-bas, c'est Cobb qui opérera.

— Buvons à son succès !

Non sans solennité, Hercule Poirot porta à hauteur de ses yeux un verre contenant une larme de sa liqueur préférée, la crème de menthe.

Sharpe leva son verre de whisky.

2

— Ecœurant ! dit Cobb.

Il contemplait, avec une admiration mêlée de dégoût, les merveilles exposées dans la vitrine de Sabrina Fair : d'innombrables échantillons de produits de beauté, d'une présentation luxueuse, et, trônant à la place d'honneur dans un cadre de verre ouvré qui était un chef-d'œuvre de tarabiscotage, une image de Sabrina Fair, vêtue d'un déshabillé suggestif et parée de bijoux aussi modernes que barbares.

L'agent-détective MacCrae traduisit sa désapprobation par un grognement, puis dit :

— C'est un sacrilège ! Traiter comme ça un personnage de la Bible !

Cobb protesta.

— Ne confondons pas, mon garçon ! Sabrina Fair n'est pas dans les Ecritures. On ne la rencontre que dans Milton !

— Et alors ? répliqua MacCrae. Est-ce que *Le Paradis perdu* ne parle pas d'Adam, d'Eve, du jardin d'Eden et des démons de l'Enfer ? Ce n'est pas des personnages de la Bible, ça ?

Le sergent jugea préférable de ne pas discuter et les deux hommes, l'un suivant l'autre, pénétrèrent dans l'institut de beauté Le lieu était d'une élégance raffinée et les deux représentants du Yard s'y sentaient aussi à l'aise que l'éléphant proverbial dans le magasin de porcelaines.

Une délicieuse créature en robe saumon vint à leur rencontre. On eût juré que ses pieds ne touchaient pas le sol. Cobb la salua et, produisant à l'appui quelques papiers officiels, dit en deux mots ce qui l'amenait. Comme effarouchée, la jeune personne disparut dans un frissonnement de soieries. Une demi-minute plus tard, une dame un peu plus âgée venait la remplacer. Avec ses cheveux bleu de nuit, ses joues fraîches et son port altier, elle avait l'air d'une duchesse. La maison savait combattre les rides et les atteintes de l'âge.

La duchesse posa sur les visiteurs le tranquille regard de ses yeux gris, puis elle dit, d'un ton peu amène :

— Veuillez me suivre, messieurs !

Ils traversèrent un salon carré, aux murs tendus de draperies, derrière lesquelles se devinaient les logettes où les clientes venaient recouvrer les éphémères apparences de la jeunesse. Une tenture mal retombée permit à Cob d'entrevoir une dame, allongée sur le ventre, qui s'abandonnait aux soins experts d'une prêtresse en longue tunique écarlate.

La duchesse conduisit les policiers jusqu'à un petit cabinet de travail d'aspect austère : un bureau à cylindre, des fauteuils très simples et, encastré dans le mur, un coffre-fort. Un jour cru entrait par l'unique fenêtre.

— Je suis, dit la duchesse, Mrs Lucas, la propriétaire de l'institut. Mon associée, Miss Hobhouse, n'est pas ici aujourd'hui.

Cobb, pour qui ce n'était pas une nouvelle, garda le silence. Mrs Lucas poursuivit :

— Nous sommes ici dans le bureau personnel de Miss Hobhouse. Ce mandat de perquisition me semble avoir été délivré de façon bien arbitraire, mais je ne saurais vous empêcher de remplir votre mission. J'aimerais seulement que vous... ne dérangiez pas nos clientes.

— Sur ce point, répondit Cobb, je crois pouvoir vous rassurer. Ce que nous cherchons n'est certainement pas dans les salons...

Patiemment, il attendit ensuite que Mrs Lucas se retirât. Elle finit par y consentir, bien à regret. Cobb alla jeter un coup d'œil par la fenêtre, qui ouvrait sur une cour au-delà de laquelle on apercevait le derrière de grands immeubles occupés par des maisons de commerce, puis il se rendit au coffre.

— Ça m'étonnerait que ce soit là-dedans, dit-il, mais nous devons nous en assurer !

Un quart d'heure plus tard, le coffre-fort et les tiroirs du bureau avaient livré leurs secrets, mais Cobb n'avait pas trouvé ce qu'il cherchait.

— On est marron ! déclara MacCrae, pessimiste de tempérament.

— Pas sûr ! répliqua Cobb. Nous ne faisons que commencer !

Il était revenu aux tiroirs du bureau. Sans hâte, il les vida puis les retourna. Au dernier, il poussa un petit cri de joie.

— Nous y sommes !

Il y avait là, maintenus sous le fond du tiroir par des bandes de tissu adhésif, six petits livrets plats de couleur bleu sombre, six petits livrets sur la nature desquels on ne pouvait se tromper.

— Des passeports, dit Cobb. Délivrés par le ministre des Affaires étrangères de Sa Majesté...

Déjà, il comparait les photographies collées dans

les documents. MacCrae regardait par-dessus l'épaule du sergent.

— On ne croirait vraiment pas que c'est la même femme ! fit-il remarquer.

Les passeports étaient établis à six noms différents, ceux de Mrs da Silva, de Miss Irene French, de Mrs Olga Kohn, de Miss Nina Le Mesurier, de Mrs Gladys Thomas et de Miss Moira O'Neele. Les photos représentaient toutes une même jeune femme brune, de qui l'âge semblait varier entre vingt-cinq et quarante ans.

— Ce qui lui change la physionomie, dit Cobb, c'est d'abord sa coiffure. Ici, elle a les cheveux raides, là elle porte des boucles, et là elle a un chignon. Mrs Thomas a les joues bien pleines et Olga Kohn le nez légèrement busqué, mais c'est toujours elle ! Et la voici encore, sur ces deux passeports, étrangers ceux-là, qui seraient ceux de Mme Mahmoud, Algérienne, et de Sheila Donovan, citoyenne de l'Eire. Pour moi, sous chacun de ces noms elle a un compte en banque !

— Ça ne vous paraît pas bien compliqué ?

— Il faut ce qu'il faut, mon garçon ! Le fisc est curieux et il vous pose un tas de questions embarrassantes. Gagner de l'argent en faisant de la contrebande, ce n'est pas tellement difficile, mais le dissimuler, quand on l'a, c'est le diable et son train ! Ce petit tripot de Mayfair, je vous parierais qu'elle ne l'a créé que pour ça ! Les seuls bénéfices qui échappent à l'impôt sont ceux qui vous viennent du jeu. Quand vous dites : « J'ai gagné ça à la roulette ou au poker ! », le contrôleur des contributions est obligé de vous croire sur parole. J'imagine qu'une bonne partie des fonds est cachée dans des banques en France, en Algérie et en Irlande. L'affaire était bien montée, j'en suis sûr, et il a fallu un malheureux hasard pour qu'elle laisse traîner un de ces faux passeports à Hickory Road. Il est tombé sous les yeux de la pauvre Celia... et vous savez comme moi ce qu'il en advint.

CHAPITRE XX

— Miss Hobhouse avait eu là une bonne idée...

L'inspecteur Sharpe parlait, tout en jouant avec les passeports, un peu comme s'il eût battu un jeu de cartes. Il poursuivit :

— C'est compliqué, la finance, et, avec ses banques multiples, elle nous a donné du fil à retordre ! Elle connaissait son affaire et, dans deux ans d'ici, elle aurait pu ramasser ses fonds, filer à l'étranger et, là-bas, vivre tranquillement jusqu'à la fin de ses jours. L'entreprise n'était pas de grande envergure, mais elle était bien organisée et d'un bon rapport : à l'importation, des pierres ; à l'exportation, des marchandises volées ; et, industrie annexe, si l'on peut dire, les stupéfiants. Sous son nom véritable ou sous un autre, elle allait sur le continent de temps en temps, mais pas trop souvent, et elle se gardait bien de toucher à la camelote, laquelle était toujours transportée par de braves gens qui ne se doutaient guère de la contrebande, parfois compliquée de recel. Elle avait, en France et en Belgique, des agents qui s'occupaient de faire l'échange des sacs à dos au moment opportun. Je le répète, elle avait eu là une fameuse idée et nous devons remercier M. Poirot, ici présent, de nous avoir lancés sur la bonne piste. Ce qui a été également très fort de sa part, c'est de suggérer à la pauvre petite Miss Austin de commettre des vols à seule fin de conquérir l'amour de celui qu'elle aimait. Cela, je crois d'ailleurs que M. Poirot l'a deviné presque tout de suite. Je me trompe ?

Poirot sourit d'un air modeste. Mrs Hubbard, dans la chambre de qui avait lieu l'entretien, regardait le petit détective avec admiration.

— Ce qui l'a perdue, dit-il, c'est la cupidité ! Elle a été folle de ne pas résister à la tentation de s'emparer du magnifique diamant de Patricia. Quand j'ai su qu'elle l'avait fait estimer et remplacer par un zircon, je me suis dit qu'elle avait l'habitude de manier des pierres et cela m'a donné sur elle quelques idées. Je reconnais toutefois qu'elle a été très habile de ne pas nier quand je l'ai accusée d'avoir poussé Celia à voler et qu'elle m'a donné alors de sa conduite une explication ingénieuse et assez... sympathique.

— Mais le meurtre ! s'écria Mrs Hubbard. Même maintenant, je ne peux pas y croire !

— Pour le moment, dit Sharpe d'une voix empreinte d'amertume, nous ne sommes pas en mesure de l'inculper d'assassinat. Pour ce qui est de la contrebande, nous la tenons et il n'y a pas de problème ! Le meurtre, c'est autre chose. Elle avait un mobile, je le veux bien, elle était au courant de l'histoire du pari, elle savait que Nigel détenait de la morphine et, matériellement, elle aurait pu tuer Miss Austin. Seulement, nous n'avons aucune preuve... et il y a eu deux autres morts ! Elle aurait pu administrer du poison à Mrs Vanilos, soit, mais ce n'est certainement pas elle qui a tué Patricia Lane. J'irai plus loin, elle est à peu près la seule personne qui ne puisse être suspectée. Geronimo est formel : elle est sortie de la maison à six heures. Il n'en démord pas. L'a-t-elle soudoyé ?

— Certainement pas ! dit Poirot.

— Je le crois d'autant plus volontiers, poursuivit Sharpe, que nous avons aussi le témoignage du pharmacien qui est au coin de la rue. Il la connaît bien et il déclare qu'elle est entrée chez lui à six heures cinq, qu'elle lui a acheté de la poudre de riz et de l'aspirine. Elle est sortie de la pharmacie à six heures un quart, elle a téléphoné et pris un taxi dans la file voisine.

Poirot semblait radieux.

— Mais c'est merveilleux ! s'écria-t-il. Exactement ce qu'il nous fallait !

— Que voulez-vous dire ?

— Simplement, que tout devient clair si elle a téléphoné de la cabine qui se trouve à côté de la pharmacie.

L'inspecteur posa sur Poirot un regard dénué d'indulgence.

— Raisonnons, monsieur Poirot, voulez-vous ? En tenant compte *des faits qui sont prouvés*. A six heures huit, Patricia Lane est encore vivante, et de la pièce même où nous nous trouvons, elle téléphone au commissariat de police. Vous êtes d'accord ?

— Non. Pour moi, ce n'est pas d'ici qu'est parti ce coup de téléphone.

— Disons que c'est du vestibule...

— Et pas non plus du vestibule !

L'inspecteur poussa un soupir.

— J'espère que vous ne contestez pas qu'*il y a bien eu un coup de téléphone* ? Ou, alors, c'est que nous avons été victimes d'une hallucination collective, moi, l'agent Nye et Nigel Chapman.

— Vous avez reçu un coup de téléphone, c'est certain. Mais je pense qu'il a été donné, non pas d'ici, mais de la cabine publique qui est près de la pharmacie.

Une seconde, Sharpe resta la bouche ouverte.

— Autrement dit, *c'est Valerie Hobhouse qui aurait téléphoné* ? Elle se serait fait passer pour Patricia Lane, et cela alors que celle-ci était *déjà morte* ?

— C'est exactement ce que je crois.

L'inspecteur resta muet un instant, réfléchissant, puis brusquement il abattit son poing sur la table.

— Impossible ! Cette voix, je l'ai entendue moi-même...

— Permettez ! Qu'est-ce que vous avez entendu ? Une voix féminine, la voix de quelqu'un qui parlait très vite et dans un état de surexcitation manifeste. Vous ne connaissiez pas suffisamment la voix de Patricia Lane pour affirmer que cette voix, c'était la sienne !

— *Moi*, non, je vous l'accorde. Mais Nigel ? C'est lui qui a pris la communication. Vous n'allez pas me dire qu'il n'aurait pas reconnu la voix de Patricia ? Une voix, ça ne se contrefait pas si facilement que ça, même au téléphone. Si la voix n'avait pas été celle de Patricia, Chapman s'en serait rendu compte.

— Effectivement, dit Poirot. *Chapman s'en est rendu compte*. Il savait fort bien que ce n'était pas Patricia qui téléphonait. N'était-il pas mieux placé que quiconque pour le savoir, puisqu'il avait lui-même, quelques instants plus tôt, tué Patricia de sa propre main ?

Il fallut à Sharpe quelques secondes pour reprendre son souffle.

— Qu'est-ce que vous me racontez là ?... Quand nous avons trouvé Patricia morte, il a pleuré comme un enfant !

— Qui vous dit le contraire ? répliqua Poirot. Je suis persuadé qu'il aimait Patricia, mais cela n'a pas suffi pour la sauver, parce qu'elle représentait pour lui une menace. Depuis le début, nous avons les meilleures raisons de le considérer comme le suspect « numéro un ». Qui avait de la morphine en sa possession ? Nigel Chapman. Parmi les pensionnaires, quel est le plus brillant, celui dont l'intelligence paraît la plus apte à concevoir une belle organisation criminelle ? Nigel Chapman. Quel est celui que nous croyons audacieux et sans scrupules ? Toujours Nigel Chapman ! Tous les traits caractéristiques de l'assassin, nous les trouvons chez lui. Il est d'une vanité inimaginable, il est rancunier, il éprouve un tel besoin d'attirer l'attention sur sa personne qu'il a été jusqu'à risquer, avec son encre verte, un bluff à la deuxième puissance qui comportait pour lui de sérieux dangers, et il est tellement convaincu de sa supériorité qu'il a fini par nous prendre pour des imbéciles : il a placé dans les doigts de Patricia deux cheveux de Bateson. Fignolage, mais erreur grossière ! Il oubliait que, frappée par-derrière, Patricia ne pouvait avoir saisi son meurtrier par les cheveux. Ils sont comme ça, les assassins ! Leur « ego » les écrase. Ils ne voient qu'eux, ils s'admirent et, comptant souvent sur leur charme personnel — et du charme, Nigel n'en manque pas !

— ils foncent, ne songeant qu'à eux et à ce qu'ils entendent obtenir.

— Mais, enfin, monsieur Poirot, pourquoi aurait-il tué Celia Austin, peut-être, et Patricia Lane ?

— C'est, dit Poirot, ce qu'il nous reste à découvrir.

CHAPITRE XXI

— Il y a bien longtemps que je ne vous ai vu, dit le vénérable Mr Endicott à Hercule Poirot, qu'il examinait de ses petits yeux perçants. C'est gentil à vous d'être venu me dire bonjour !

— A la vérité, répondit Poirot, il s'agit d'une visite intéressée.

— Je reste votre obligé, monsieur Poirot. Je n'oublie pas que vous avez débrouillé pour moi cette fâcheuse affaire de la succession Abernethy.

— Je ne pensais pas vous trouver ici. Je vous croyais retiré...

Le vieil avoué sourit.

— Je ne suis venu aujourd'hui que pour recevoir un de mes plus anciens clients. Je m'occupe encore des intérêts de quelques vieux amis à moi...

— Sir Arthur Stanley était du nombre, j'imagine ?

— Oui. Nous avons toujours été ses représentants légaux. C'était une intelligence exceptionnelle, vous savez ?

— Sa mort a été annoncée hier soir à la radio, au bulletin de six heures, je crois ?

— Oui. Les obsèques auront lieu vendredi. Il était malade depuis quelque temps. Une tumeur, paraît-il.

— Lady Stanley est morte il y a quelques années, n'est-ce pas ?

— Il y a deux ans et demi, à peu près.

Sous les sourcils broussailleux, les yeux du vieil Endicott guettaient ceux de Poirot.

— De quoi est-elle morte ? demanda le détective.

La réponse vint tout de suite.

— D'une dose excessive de somnifère. Du médinal, si j'ai bonne mémoire.

— Il y a eu une enquête ?

— Oui. Elle a conclu à une mort accidentelle.

— Justement ?

Cette fois, Mr Endicott ne répondit pas tout de suite. Après quelques secondes de réflexion, il dit :

— Je ne vous ferai pas l'injure de croire que vous posez la question sans avoir pour cela de bonnes raisons. J'y réponds donc. Le médinal est une drogue assez dangereuse, à ce que je me suis laissé dire, parce que la marge est très étroite entre la dose qui soulage et celle qui peut tuer. Que le malade, l'esprit brumeux, oublie qu'il a pris son médicament et en prenne une seconde fois... et l'erreur peut avoir des conséquences tragiques.

Poirot hocha la tête.

— C'est ce qu'a fait lady Stanley ?

— Vraisemblablement. Rien ne donnait à penser qu'il pût s'agir d'un suicide.

— Et non plus de... quelque chose d'autre ?

Le regard du vieil avoué se fit plus aigu encore.

— Le témoignage de sir Arthur était formel.

— Qu'avait-il dit ?

— Qu'il arrivait parfois à lady Stanley, après avoir pris sa dose de médinal pour la nuit, d'oublier totalement qu'elle l'avait prise et, dans une sorte d'hébétude, de réclamer sa drogue.

— Etait-ce la vérité ?

— Vraiment, Poirot, vous exagérez ! Comment voulez-vous que je le sache ?

Poirot sourit. L'indignation feinte du vieil homme ne l'abusait pas.

— Je pense, mon cher ami, que vous le savez fort bien, mais je ne veux pas, pour le moment, vous embarrasser en vous demandant ce que vous pouvez savoir. Je vous prierai seulement de me donner votre opinion sur un point qui me préoccupe. Arthur Stanley était-il homme à supprimer son épouse pour recommencer sa vie avec une autre femme ?

Mr Endicott sursauta dans son fauteuil comme s'il avait été piqué par une guêpe.

— Ridicule ! s'écria-t-il. Profondément ridicule ! Et, d'abord, il n'y avait pas d'autre femme ! Stanley adorait son épouse.

— C'est bien ce que je pensais, dit Poirot. J'en arrive maintenant à l'objet de ma visite. Comme avoués, vous vous êtes bien occupés du testament de Stanley ?

— Oui. Je suis même son exécuteur testamentaire.

— Arthur Stanley avait un fils avec lequel il s'est disputé à l'époque de la mort de lady Stanley. Finalement, le fils est parti. Il a même changé de nom.

— J'ignorais cela. Comment se fait-il appeler ?

— Nous y viendrons. Auparavant, j'aimerais faire une supposition, dans l'espoir que vous voudrez bien, si je ne me trompe pas, reconnaître que le fait est exact. Je pense que sir Arthur Stanley vous a confié un pli cacheté, à ouvrir en certaines circonstances ou après sa mort.

— Au Moyen Age, Poirot, vous auriez fini sur le bûcher ! Comment pouvez-vous savoir les choses que vous savez ?

— Donc, c'est exact ! Je pense aussi que Stanley vous laissait le soin de choisir entre deux partis : détruire sa lettre ou prendre certaines dispositions.

Poirot attendit. Mr Endicott restait muet.

— Sacrédié ! s'exclama Poirot, soudain fort inquiet. Vous n'avez quand même pas déjà détruit...

Il se tut, rassuré par un mouvement de tête du vieil homme avoué.

— Nous n'agissons jamais de façon précipitée, dit Mr Endicott d'un ton de reproche. Il faut que je fasse une enquête très complète, afin de décider en connaissance de cause. J'ajoute qu'il s'agit là d'une mission ultra-confidentielle. Même pour vous, Poirot, je...

— Et si je vous prouvais que votre devoir est de parler ?

— Prouvez-le ! Pour moi, je ne vois pas comment vous pourriez savoir quoi que ce fût ayant quelque rapport avec ce dont nous sommes en train de discuter.

— Je ne *sais* pas, mais je devine. Et si j'ai deviné juste...

Mr Endicott eut un geste de la main.

— Bien improbable !

Poirot prit une longue inspiration.

— Nous verrons bien. Je pense que vos instructions sont les suivantes. A la mort de sir Arthur, vous devez rechercher son fils Nigel, vous assurer qu'il est toujours vivant et vous renseigner sur la vie qu'il mène, vous préoccupant en particulier de sa-

voir s'il a ou non ce qu'on appelle, en langage de
police, des activités criminelles.

Cette fois, Mr Endicott, de qui la maîtrise de soi
était pourtant légendaire, proféra un juron qui avait
rarement passé ses lèvres.

— Puisque vous paraissez au courant des faits,
dit-il ensuite, je vous dirai tout ce que vous désiriez
savoir. J'imagine que vous aurez rencontré le jeune
Nigel au détour de quelque enquête. Qu'est-ce qu'il a
fait, ce mauvais garnement ?

— Voici l'histoire telle que je la reconstitue. Après
avoir quitté la maison de son père, il a changé de
nom, expliquant à ceux que cela pouvait intéresser
qu'il avait dû adopter un pseudonyme pour bénéfi-
cier d'un legs. Il entra ensuite en relation avec des
gens qui s'occupaient de contrebande : bijoux et stupéfiants. C'est lui, je crois, qui donna à cette entreprise de contrebande sa forme définitive. Très adroi-
tement, on utilisait des étudiants qui, en toute inno-
cence, transportaient la marchandise, l'ensemble des
opérations étant dirigé par deux personnes : Nigel
Chapman — c'était le nom qu'il avait adopté — et
Valerie Hobhouse, une jeune femme, à qui il devait
vraisemblablement son introduction dans le monde
des trafiquants. L'affaire était modeste, ils travail-
laient à la commission, mais les bénéfices étaient
considérables. Quand il s'agit de pierres précieuses
et de stupéfiants, il n'y a pas besoin d'en « passer »
des quantités énormes pour gagner des milliers de
livres. Tout allait bien quand un hasard imprévisible
vint tout gâter. Un soir, un officier de police se pré-
senta à l'hôtel d'étudiants où résidait Nigel. Il venait,
à propos d'un meurtre commis dans la région de
Cambridge, chercher des renseignements sur un Eurasien qui avait disparu. Nigel, pour les raisons que

vous devinez, s'imagina que l'homme venait *pour
lui*, il prit peur et il s'affola. Pour réduire la lumière,
il escamota quelques ampoules électriques et, perdant
la tête, il emporta dans la cour un certain sac à dos,
qui pouvait conserver dans sa toile des traces de
stupéfiants, il le tailla en pièces et jeta les morceaux
dans la chaufferie, derrière la chaudière.

« Il s'était alarmé sans raison, mais il se trouva
que, de sa fenêtre, une des jeunes filles habitant la
pension le vit en train de détruire le sac à dos. Elle
devait mourir, mais elle ne fut pas tout de suite
condamnée. Au lieu de cela, on imagina un plan
machiavélique qui amena la pauvre enfant à commettre un certain nombre de sottises, par lesquelles
elle se mettait dans une situation impossible. Mais
on alla trop loin et je fus appelé. Je conseillai d'alerter la police. La petite, à son tour, prit peur et elle
avoua. Elle avoua, entendons-nous bien, *ses fautes à
elle*. Pour les autres, j'imagine qu'elle pressa Nigel
d'avouer, lui aussi, c'est-à-dire, car elle ne soupçonnait pas le reste, de reconnaître qu'il avait lacéré le
sac à dos et répandu de l'encre sur les notes de
travail d'une étudiante de la pension. Nigel et sa
complice, évidemment, ne voulaient pas que l'attention se portât sur le sac à dos. Tout leur trafic de
contrebande eût été compromis du coup. J'ajoute que
Celia, la jeune fille en question, savait en outre quelque chose qu'il était dangereux de connaître, ainsi
qu'elle le laissa entendre, par hasard, le soir où je
dînai à la pension : elle n'ignorait pas la véritable
identité de Nigel. »

Mr Endicott fronça le sourcil.

— Mais bien d'autres personnes...

— Non, dit Poirot. Nigel était passé d'un monde
dans un autre. Ceux de ses amis d'autrefois qu'il

pouvait rencontrer savaient qu'il se faisait appeler Chapman, mais ils ne savaient rien de ce qu'il était devenu. A la pension, nul ne soupçonnait son nom véritable. Celia seule, pour son malheur, savait qu'il était Stanley et Chapman. Elle le lui révéla, ce soir-là, en lui rappelant qu'ils avaient dansé ensemble, autrefois. Elle savait aussi que Valerie Hobhouse, une fois au moins, était allée en France avec un faux passeport. Elle en savait trop. Le lendemain soir, elle sortit pour retrouver Nigel, je ne sais où. Il lui fit boire du café ou une boisson quelconque, lui administrant du même coup une dose mortelle de morphine. Elle mourut durant son sommeil, toutes les dispositions prises pour qu'on crût à un suicide.

Mr Endicott, visiblement consterné, murmura quelque chose entre ses dents.

— Mais, continua Poirot, ce n'est pas tout ! Un peu plus tard, la propriétaire de la pension décédait de façon suspecte. Un troisième assassinat suivit, plus horrible encore. Patricia Lane, une jeune femme qui aimait Nigel et pour laquelle il avait, de son côté, une affection très réelle, eut le tort de se mêler de ses affaires et d'insister pour qu'il se réconciliât avec son père, avant que celui-ci ne mourût. Il lui raconta un tissu de mensonges, puis, se rendant compte qu'il ne pourrait empêcher cette fille obstinée d'écrire à sir Arthur une lettre remplaçant celle qu'elle lui avait adressée et qu'il venait de détruire, il prit le parti de la tuer. Je pense, mon cher ami, que vous ne verrez pas d'inconvénient à me dire pourquoi Nigel était décidé à aller jusqu'au meurtre pour empêcher cette lettre de partir.

Le vieil avoué se leva. Il alla ouvrir le coffre qui se trouvait dans un angle de la pièce, prit à l'intérieur une grande enveloppe dont les cachets de cire rouge avaient été brisés et vint la remettre à Poirot. Elle contenait deux documents.

Poirot prit connaissance du premier. C'était une lettre adressée à Endicott.

Mon cher Endicott,

Ce message, vous le lirez après ma mort. Je désire que vous retrouviez mon fils Nigel et que vous découvriez s'il s'est rendu coupable d'actes criminels, de quelque genre que ce soit.

Les faits que je vais vous révéler sont connus de moi seul. Nigel ne m'a jamais donné la moindre satisfaction. A deux reprises, il a imité ma signature sur un chèque. Les deux fois, j'ai reconnu la signature comme mienne, mais en le prévenant qu'il n'en irait plus de même s'il recommençait. Il commit un troisième faux, imitant cette fois, toujours sur un chèque, la signature de sa mère. Formellement accusé par elle, il l'adjura de garder le silence. Elle s'y refusa. Nous avions eu, elle et moi, de longues discussions à son sujet et elle ne lui cacha pas qu'elle allait me mettre au courant. C'est alors que, par surprise, il lui administra une dose mortelle de somnifère. Elle eut pourtant le temps, avant que la drogue n'agît, de venir jusqu'à ma chambre et de me faire connaître le nouveau faux dont Nigel s'était rendu coupable. Le lendemain matin, on la trouva morte dans son lit. Je savais qui l'avait tuée.

Je fis savoir à Nigel que je connaissais la vérité et lui annonçai ma ferme intention de prévenir la police. Il me supplia de n'en rien faire. Qu'auriez-vous fait à ma place, Endicott ? J'étais sans illusion sur mon fils, je le tenais pour ce qu'il était, un dégénéré de la pire espèce, sans cœur ni conscience. Je n'avais aucune raison de le sauver, mais je songeai à ma pauvre femme et je sentis fléchir ma résolution. Aurait-elle, elle, voulu le châtiment de son assassin ? La réponse à cette question, je crois bien que je la connaissais. Ma femme n'aurait point souhaité que son fils montât sur l'échafaud. Elle aurait reculé, comme je l'ai fait. Pour l'honneur du nom. Mais il était une autre considération dont je ne pouvais pas ne pas tenir compte. J'ai la conviction absolue qu'un assassin recommence toujours. Il pouvait, dans l'avenir, y avoir d'autres victimes. Je fis donc un marché avec mon fils. Ai-je eu tort ? Ai-je eu raison ? Je l'ignore. Il signerait l'aveu de son crime, il quitterait ma maison pour n'y plus jamais reparaître, il irait refaire sa vie ailleurs. Je lui donnerais une nouvelle chance. Il hériterait de sa mère, automatiquement. Il avait reçu une bonne éducation. Il aurait la possibilité de se reclasser.

Mais, s'il lui arrivait jamais d'être convaincu de quelque nouveau crime, la police serait immédiatement saisie de la confession écrite de son meurtre, restée entre mes mains. Pour lui épargner la tentation de me tuer, je lui expliquai que mes dispositions seraient prises : ma mort ne changerait rien à la situation.

Vous êtes mon plus vieil ami. Je pose un lourd fardeau sur vos épaules, mais je vous demande d'en accepter la charge, au nom d'une morte qui fut votre amie. Retrouvez Nigel ! S'il n'y a rien à lui reprocher, détruisez cette lettre et l'aveu qui l'accompagne. Sinon, que justice soit faite !

Votre ami affectionné,

ARTHUR STANLEY.

Poirot poussa un soupir et prit le second document.

Je reconnais avoir assassiné ma mère en lui administrant une dose mortelle de médinal, le 18 novembre 195...

NIGEL STANLEY.

CHAPITRE XXII

— Comprenez bien votre situation, Miss Hobhouse. Je vous ai déjà prévenue...

Valerie coupa la parole à l'inspecteur Sharpe.

— Je sais ce que je fais ! Vous m'avez prévenue
que ce que je dirai pourra éventuellement être utilisé
contre moi. Je n'y vois pas d'inconvénient. Je suis
accusée d'avoir fait de la contrebande. Ça signifie,
je ne me fais pas d'illusion, que je puis compter
sur une longue peine de prison. Et vous me donnez
à entendre que je pourrai également être poursuivie
comme complice d'un assassinat.

— J'attire votre attention sur le fait qu'une déposition de votre part pourrait être utile à votre défense. Je ne vous fais d'ailleurs aucune promesse.

— Je ne vous en demande pas. J'aime mieux en
finir rapidement que de languir pendant des années
en prison. Je veux être entendue. Il se peut que je
sois complice, comme vous dites, mais je n'ai pas
tué. Je n'ai jamais voulu la mort de personne, je ne
l'ai même jamais souhaitée. Je ne suis pas folle. Ce

que je veux, et de toutes mes forces, c'est que l'accusation contre Nigel tienne, et qu'elle tienne bien !

« Celia en savait trop, mais j'aurais arrangé ça. Nigel ne m'en a pas laissé le temps. Il a donné un rendez-vous à Celia, dehors, il lui a raconté qu'il allait reconnaître que c'était lui qui avait lacéré le sac à dos et versé de l'encre sur les papiers d'Elizabeth, et il lui a fait boire une tasse de café dans laquelle il avait mis de la morphine Il avait chipé la lettre que Celia avait écrite à Mrs Hubbard et il en avait déchiré un morceau, celui sur lequel se lisait une phrase qui pouvait faire croire qu'elle allait se suicider. Ce bout de papier, il l'a posé sur la table de chevet de Celia, à côté de la fiole qui avait contenu la morphine, fiole qu'il avait récupérée après avoir fait semblant de la jeter. Je me rends compte, maintenant, qu'il songeait à supprimer Celia depuis un certain temps déjà. C'est seulement après le crime qu'il m'a dit ce qu'il avait fait. Je ne voulais pas mourir, moi aussi. Je me suis tue.

« Les choses ont dû se passer à peu près de la même façon pour Mrs Vanilos. Il s'était aperçu qu'elle buvait et qu'il devenait dangereux de lui faire confiance. Il s'est arrangé pour la rencontrer, alors qu'elle retournait chez elle, il lui a offert un verre et il l'a empoisonnée. Il n'a jamais voulu me l'avouer, mais, pour moi, c'est une certitude. Le tour de Pat est venu ensuite. Là encore, j'ai tout appris quand c'était fini. J'étais dans ma chambre. Il m'a dit ce qui s'était passé et ce que je devais faire de façon à nous assurer, à lui et moi, un alibi parfait. A ce moment-là, j'étais dans le bain, et il n'y avait plus moyen d'en sortir... Si vous ne m'aviez pas arrêtée, je crois bien que je serais passée à l'étranger, pour y refaire ma vie. Le destin ne l'a pas voulu...

Et, maintenant, il n'y a plus qu'une chose qui m'intéresse ! Je veux être sûre que cette abominable fripouille finira au bout d'une corde !

L'inspecteur Sharpe dissimulait à peine sa satisfaction. Valerie lui apportait plus qu'il n'osait espérer. C'était un coup de chance extraordinaire. Une chose pourtant l'intriguait.

— Je ne suis pas, commença-t-il, sûr de bien comprendre pourquoi...

Valerie ne le laissa pas poursuivre.

— Vous n'avez pas besoin de comprendre. J'ai mes raisons.

Poirot parla, d'une voix très douce.

— Mrs Vanilos ? dit-il.

Elle se tourna vers lui, interdite.

Il reprit :

— C'était votre mère, n'est-ce pas ?

— Oui, dit Valerie Hobhouse, c'était maman.

CHAPITRE XXIII

1

— Je ne comprends pas, dit Mr Akibombo d'une voix désolée.

Son regard allait de la rousse Sally Finch au roux Len Bateson, de qui la conversation lui apparaissait très difficile à suivre.

— A votre avis, demanda Sally, Nigel voulait-il faire porter les soupçons *sur vous* ou *sur moi* ?

— Pour moi, répondit l'autre, il n'avait pas choisi. *Vous ou moi*, ça devait lui être égal. Cependant, c'est sur ma brosse qu'il avait pris les cheveux.

Mr Akibombo intervint :

— Est-ce que c'est Mr Nigel qui a sauté d'un balcon à l'autre ?

— Nigel est agile comme un chat, répondit Len. Ce saut, moi, je n'aurais pu le faire. Je suis bien trop lourd.

— Je tiens à vous demander très humblement pardon des injustes soupçons...

— Ne vous excusez pas !

— D'ailleurs, dit Sally, vous avez rudement fait

avancer l'enquête ! Votre raisonnement sur l'affaire de l'acide borique...

Le sombre visage de Mr Akibombo s'éclaira d'un large sourire.

— On aurait dû, reprit Len, se rendre compte plus tôt que Nigel était le type même de l'inadapté, de l'individu...

— Pour l'amour du Ciel, Len, laissez ce genre de discours à Colin ! On croirait l'entendre. Pour ma part, Nigel m'a toujours fait peur... et c'est seulement maintenant que je vois pourquoi. Il est quand même triste de penser que si le pauvre sir Arthur Stanley n'avait pas fait du sentiment, s'il avait purement et simplement livré à la police son assassin de fils, il y a trois personnes qui aujourd'hui seraient encore en vie !

— C'est exact, mais la conduite de sir Arthur s'explique...

— Miss Sally ?

— Akibombo ?

— Si, ce soir, au bal de l'Université, vous rencontrez mon professeur, voudriez-vous lui dire que j'ai fait un bon raisonnement ? Il dit toujours que j'ai l'esprit confus.

— Je vous promets de lui parler.

Len Bateson semblait l'image même de la mélancolie.

— Dans huit jours, dit-il, vous serez rentrée aux Etats-Unis !

Il y eut un court instant de silence.

— Je reviendrai, dit Sally. A moins que vous ne veniez me rejoindre. Pourquoi ne suivriez-vous pas des cours dans une université américaine ?

— A quoi bon ?

Sally se tourna vers Mr Akibombo.

— Dites-moi, Akibombo, ça vous plairait d'être garçon d'honneur à un mariage ?

— Garçon d'honneur ? Qu'est-ce que c'est ?

— Eh bien ! voilà. Le marié, Len, par exemple, vous confie un anneau à garder, vous mettez vos plus beaux habits et, tous les deux, vous vous en allez à l'église. Il y a une magnifique cérémonie et, à un certain moment il vous demande l'anneau, vous le lui rendez et il le passe à mon doigt. Alors, les grandes orgues jouent et tout le monde pleure. Voilà !

— Vous voulez dire que vous allez vous marier, Mr Len et vous ?

— Tout juste !

— Sally !

— A moins, bien entendu, que l'idée ne plaise pas à Len...

— Sally !... Mais vous savez bien que mon père...

— Et alors ? Il est un peu fou ? On le sait. Et après ? Il y a des tas de gens de qui les parents sont plus ou moins cinglés !

— Ce que je puis vous certifier, Sally, c'est qu'il ne s'agit pas d'une folie héréditaire. Si vous saviez ce que j'ai pu être malheureux, à cause de vous !

— Figurez-vous que je m'en doute un peu !

— En Afrique, dit Mr Akibombo, au bon vieux temps, quand on ne connaissait ni la bombe atomique, ni les autres découvertes de la science, les rites du mariage étaient fort curieux et fort intéressants. C'est ainsi que je pourrais vous raconter que...

Sally leva la main.

— N'en faites rien, Akibombo ! J'ai idée que vous nous feriez rougir, Len et moi. Et les rouquins, quand ça rougit, ça se voit !

2

Hercule Poirot signa la dernière des lettres que Miss Lemon avait posées devant lui.

— Félicitations ! dit-il. Il n'y a pas une faute dans tout le courrier.

Miss Lemon parut légèrement vexée.

— Mais, répliqua-t-elle d'un ton pincé, des fautes, il me semble que je n'en fais pas souvent !

— Pas souvent, en effet. Mais ça vous est quand même arrivé quelquefois. Au fait, comment se porte votre sœur ?

— Elle songe à partir en croisière, monsieur Poirot. Les pays scandinaves..

— Ah !

Hercule Poirot hocha la tête et resta songeur.

Naviguer pour se distraire !

Décidément, il ne comprendrait jamais les Anglais...

IMPRIMÉ EN FRANCE PAR BRODARD ET TAUPIN
6, place d'Alleray - Paris.
Usine de La Flèche, le 03-12-1973.
6487-5 - Dépôt légal, 4e trimestre 1973.